The Five Treasures
五宝

A Story in Simplified Chinese and Pinyin,
1200 Word Vocabulary Level

Book 12 of the *Journey to the West* Series

Written by Jeff Pepper
Chinese translation by Xiao Hui Wang

Book design by Jeff Pepper
Cover design by Katelyn Pepper
Illustrations by Next Mars Media

ISBN: 978-1952601194

Version 04

ACKNOWLEDGMENTS

We are deeply indebted to the late Anthony C. Yu for his incredible four-volume translation, *The Journey to the West* (1983, revised 2012, University of Chicago Press).

Many thanks to Maurice Leung for his help in reviewing the manuscript, Junyou Chen for narrating the audiobook, and the team at Next Mars Media for their terrific illustrations.

AUDIOBOOK

A complete Chinese language audio version of this book is available free of charge. To access it, go to YouTube.com and search for the Imagin8 Press channel. There you will find free audiobooks for this and all the other books in this series.

You can also visit our website, www.imagin8press.com, to find a direct link to the YouTube audiobook, as well as information about our other books.

PREFACE

We've now arrived at the 12th book in our *Journey to the West* series of novels for beginning and intermediate Chinese readers. In this story, our band of travelers arrives at Level Top Mountain and encounters their most powerful adversaries yet: Great King Golden Horn and his younger brother Great King Silver Horn. These two monsters, assisted by their elderly mother and hundreds of well-armed demons, attempt to capture and liquefy Sun Wukong and eat the Tang monk and his other disciples. The travelers desperately battle their foes through a combination of trickery, deception and magic, and barely survive the encounter.

If you're reading this, you've probably already read most or all of the previous eleven books in the series, so this seems like a good opportunity to show you how we create these books. Our process has evolved since early 2017 when we published the first book in the series, *The Rise of the Monkey King*. Here, briefly, is how it all works. (If you're not interested in this, feel free to just skip this and get right to the book.)

First, of course, comes research. This means that I spend a week or so immersed in the original full-length *Journey to the West*. This monumental work, over 2,000 pages long, was written in Chinese by the novelist and poet Wu Cheng'en in the 16th century and translated to English by Anthony C. Yu in 1983 and revised in 2012. I work from

Yu's excellent English translation, and my writing partner Xiao Hui Wang uses the original Chinese version. The plot takes lots of twists and turns and does not always lend itself to being broken up into short books like ours. So before the writing starts I carefully study the novel. I try to get comfortable with the flow of the plot, the details of the story, and the symbolism and background of the characters and story elements. I also select a beginning and endpoint for the book we're planning to write, since each of our books needs to stand alone. Each of our books covers the events in three to five chapters of the original novel, which works out to around 40 to 50 pages of Yu's translation.

The second step is writing the book in English. This takes a surprisingly short amount of time, generally about a week. My challenge here is to remain faithful to the original story line, making it interesting and fun to read, and keeping it easy for beginning readers. I trim out unnecessary characters and plot detours, simplify names, and generally try to avoid any storytelling that requires adding too many new vocabulary words. I grind out a rough initial draft (which I generally hate), and then revise it again and again until I'm happy with it. The revising takes longer than the initial writing; sometimes I'll revise the draft a dozen times before it's done.

When that's done I hand it off to Xiao Hui, who spends about two weeks doing the translation, adding a Chinese paragraph after each of my English paragraphs. Then we work together on the manuscript for about a week, resolving any wording problems. Often we find that something is easy to say in English but difficult or clumsy in Chinese, or vice versa. So we edit the Chinese, the English, or both, until the two language versions are in sync. As we write, we try to minimize the number of new words that are introduced, and we celebrate every time we are able to rewrite a sentence to squash a new word. After that's done, we send the manuscript to our proofreader, who catches any glitches that we might have missed.

Next, it's time for production. Surprisingly, this takes more time than the initial writing. Our silver-tongued narrator Junyou Chen in Shenzhen creates the audiobook that we offer free of charge on YouTube. Our artist friends at NextMars Media in Luoyang create the interior sketches and cover art, based on a half-dozen key scenes that I select for them. And here in Pittsburgh I write the introduction, the back cover blurb, the pinyin text (thank you Google Translate!), and the two glossaries. I also create the book cover using PowerPoint, my favorite design tool.

Next, we create the formatted interior file for the book. This is much more complicated than for a typical novel because of the odd design of our paperbacks, which has a page of pinyin facing every page of Chinese. (In the eBooks we take a different approach, just alternating Chinese and pinyin paragraphs.) We highlight and define all new words in footnotes, and underline proper names to make them easier to recognize. Then we do a final proofreading pass, catching what we hope are the last few minor typos, formatting errors, errant pinyin tone marks, missing commas, extra spaces, unattractive line breaks, and other odds and ends.

Finally, we actually publish the book. Because we are a small publisher, all our books are sold as either downloadable eBooks or are printed on demand. This means that we don't have to worry about sending the book to the printer and having boxes of unsold books lying around. So "publishing the book" does not involve any printing presses, we just upload files to our various sales channels. We also publish the free audiobook on YouTube. And following that, we do all the marketing bits: updating our website, posting on Facebook, sending an email to the folks on our mailing list, and contributing the first reader review on Amazon.

From start to finish, all this takes two or three months. You're holding the finished product in your hand, or looking at it on your eBook reader. We hope you enjoy reading it as much as we enjoyed creating it for you!

Jeff Pepper
Pittsburgh, Pennsylvania, USA
November 2020

The Five Treasures

五宝

Wǔ Bǎo

Wǒ qīn'ài de háizi, yǐjīng hěn wǎn le, nǐ lèi le. Dàn wǒ zhīdào nǐ xiǎng tīng lìng yígè guānyú Sūn Wùkōng de gùshì.

Suǒyǐ jīnwǎn wǒ yào gàosù nǐ tā de yígè hěn yǒuyìsi de gùshì. Zài zhège gùshì zhōng, Sūn Wùkōng yùdào le liǎng gè fēicháng qiángdà de yāoguài, dànshì zhèxiē yāoguài búshì wǒmen rènwéi de nàyàng!

Wǒmen de gùshì cóng sì wèi xíngrén kāishǐ, tāmen shì hóuzǐ Sūn Wùkōng, héshang Tángsēng, zhū rén Zhū Bājiè hé qiángdà dàn ānjìng de rén Shā Wùjìng.

Tāmen zhèng yánzhe zhōngguó xīfāng de Sīchóu Zhī Lù xíngzǒu, tāmen wǎng xī zǒuxiàng Yìndù. Dōngtiān biànchéng le chūntiān. Shùmù hé cǎomù dōu biàn lǜ le.

五宝

我亲爱的孩子，已经很晚了，你累了。但我知道你想听另一个关于孙悟空的故事。

所以今晚我要告诉你他的一个很有意思的故事。在这个故事中，孙悟空遇到了两个非常强大的妖怪，但是这些妖怪不是我们认为的那样！

我们的故事从四位行人开始，他们是猴子孙悟空，和尚唐僧，猪人猪八戒和强大但安静的人沙悟净。

他们正沿着中国西方的丝绸之路行走，他们往西走向印度。冬天变成了春天。树木和草木都变绿了。

Yìtiān, xíngrénmen dào le yízuò gāoshān. Zhè zuò shān tài gāo le, tāmen báitiān kànbúdào tàiyáng, wǎnshàng kànbúdào yuèliang hé xīngxing. Tāmen yánlù zuǒ zhuǎn, yòu zhuǎn, zài zuǒ zhuǎn. Lù biànchéng le yìtiáo shānlù. Tāmen xiàng shānshàng zǒu qù.

Yígè kǎnmùrén zhàn zài tāmen shàngmiàn de lǜ cǎodì shàng. Kǎnmùrén de tóushàng dàizhe yì dǐng jiù lán mào, chuānzhe yí jiàn hēisè sēngrén cháng yī. Tā shǒu lǐ názhe yì bǎ fǔtóu. Dāng kǎnmùrén jiàndào Tángsēng hé tā de túdìmen de shíhóu, tā shuō: "Nǐmen zhèxiē yào qù xīfāng de rén, qǐng tíngxià, wǒ yǒushì yào gàosù nǐmen. Zài zhè zuò shānshàng yǒu yāoguài hé móguǐ. Tāmen děngzhe cóng dōngfāng lái de xíng rén, ránhòu bǎ tāmen chīdiào!"

Tángsēng tīngdào zhèxiē huà, fēicháng hàipà. Dànshì Sūn Wùkōng zhǐshì xiào. Tā duì kǎnmùrén shuō: "Dàgē, wǒmen shì bèi Táng huángdì sòng lái, qù Yìndù dài huí fó shū. Báimǎshàng de nàgè rén shì wǒ de shīfu. Tā yǒudiǎn hàipà, suǒyǐ tā ràng wǒ gēn nǐ tántán, duō zhīdào yìxiē zhèxiē yāoguài de shì. Gàosù wǒ tāmen de shì. Ránhòu wǒ huì gàosù shānshén hé tǔdì shén, ràng

一天，行人们到了一座高山。这座山太高了，他们白天看不到太阳，晚上看不到月亮和星星。他们沿路左转，右转，再左转。路变成了一条山路。他们向山上走去。

一个砍木人站在他们上面的绿草地上。砍木人的头上戴着一顶旧蓝帽，穿着一件黑色僧人长衣。他手里拿着一把斧头。当砍木人见到唐僧和他的徒弟们的时侯，他说："你们这些要去西方的人，请停下，我有事要告诉你们。在这座山上有妖怪和魔鬼。他们等着从东方来的行人，然后把他们吃掉！"

唐僧听到这些话，非常害怕。但是孙悟空只是笑。他对砍木人说："大哥，我们是被唐皇帝送来，去印度带回佛书。白马上的那个人是我的师父。他有点害怕，所以他让我跟你谈谈，多知道一些这些妖怪的事。告诉我他们的事。然后我会告诉山神和土地神，让

tāmen bāngzhù wǒ zhuāzhù zhèxiē yāoguài."

"Nǐ fēng le." Kǎnmùrén huídá. "Wèishénme nǐ rènwéi shānshén hé tǔdì shén huì bāngzhù nǐ? Nǐ yào zěnme zhuāzhù yāoguài, nǐ huì duì tāmen zuò shénme?"

"Wǒ shì Měi Hóu Wáng, wǒ shì Qí Tiān Dà Shèng. Shānshén hé tǔdì shén dāngrán huì bāngzhù wǒ. Rúguǒ móguǐ shì cóng tiān shàng lái de, wǒ huì bǎ tāmen sòngdào Yùhuáng Dàdì nàlǐ. Rúguǒ móguǐ shì cóng dìshàng lái de, wǒ huì bǎ tāmen sòngdào Dìgōng lǐ. Rúguǒ tāmen shì lóng, wǒ huì bǎ tāmen sòngdào Hǎi Wáng nàlǐ. Rúguǒ tāmen shì guǐ, wǒ huì bǎ tāmen sòngdào Yán Wáng nàlǐ. Měi yì zhǒng móguǐ dōu yǒu tāmen zìjǐ de jiā, lǎo hóuzi dōu zhīdào tāmen. Wǒ huì gàosù tāmen, tāmen huì zhào wǒ shuō de zuò!"

Kǎnmùrén duì zhèxiē huà gǎndào hǎoxiào. "Nàme nǐ shì yígè hěn bèn de rén. Wǒ lái gàosù nǐ zhèxiē móguǐ de shì. Zhè shì Píngdǐng Shān. Shānshàng yǒu Liánhuā Dòng. Dòng zhōng yǒu liǎng gè fēicháng dà

他们帮助我抓住这些妖怪。”

“你疯[1]了。”砍木人回答。“为什么你认为山神和土地神会帮助你？你要怎么抓住妖怪，你会对他们做什么？”

“我是美猴王，我是齐天大圣。山神和土地神当然会帮助我。如果魔鬼是从天上来的，我会把他们送到玉皇大帝那里。如果魔鬼是从地上来的，我会把他们送到地宫里。如果他们是龙，我会把他们送到海王那里。如果他们是鬼，我会把他们送到阎王那里。每一种魔鬼都有他们自己的家，老猴子都知道他们。我会告诉他们，他们会照我说的做！”

砍木人对这些话感到好笑。“那么你是一个很笨的人。我来告诉你这些魔鬼的事。这是平顶山。山上有莲花洞。洞中有两个非常大

---

[1] 疯　　fēng – mad

hé fēicháng qiáng de yāoguài. Tāmen de qiángshàng yǒu yì fú Tángsēng de huà, tāmen zài děng nǐmen lái. Tāmen huì bǎ nǐmen zuò chéng fàn, chīle!"

"Tāmen zěnme chī wǒmen? Cóngtóu kāishǐ háishì cóng jiǎo kāishǐ?"

"Nǐ wèishénme yào wèn?"

"Rúguǒ tāmen xiān chī wǒ de tóu, wǒ búhuì gǎnjué dào rènhé de tòng. Dànshì, rúguǒ tāmen xiān cóng jiǎo kāishǐ chī wǒ, nà huì xūyào hěn cháng shíjiān, zhè huì shì fēicháng tòng de. Wǒ yìdiǎn dōu bù xǐhuān nàyàng."

"Bié dānxīn, hóuzi, zhèxiē yāoguài huì yìkǒu chīdiào nǐ. Zhè huì shì hěn kuài de! Hái yào xiǎoxīn, yīnwèi zhèxiē yāoguài yǒu wǔ jiàn bǎobèi, tāmen yǒu hěn qiángdà de mólì. Zhè hé nǐ yǒu duō qiángdà méiyǒu shénme guānxì, nǐ yào bǎohù Tángsēng háishì fēi

和非常强的妖怪。他们的墙上有一幅唐僧的画，他们在等你们来。他们会把你们做成饭，吃了！”

“他们怎么吃我们？从头开始还是从脚开始？”

“你为什么要问？”

“如果他们先吃我的头，我不会感觉到任何的痛。但是，如果他们先从脚开始吃我，那会需要很长时间，这会是非常痛的。我一点都不喜欢那样。”

“别担心，猴子，这些妖怪会一口吃掉你。这会是很快的！还要小心，因为这些妖怪有五件贝宝[2]，它们有很强大的魔力。这和你有多强大没有什么关系，你要保护唐僧还是非

---

[2] 宝贝　bǎo bèi – treasure

cháng kùnnán de. Nǐ bìxū biàn dé yǒudiǎn fēng cáinéng guò zhège dìfang!"

"A, tàihǎole. Wǒ yǐjīng yǒudiǎn fēngle. Xièxiè!" Sūn Wùkōng zhuǎnshēn zǒu huí dào Tángsēng hé qítā rén nàlǐ. Tā hěn gāoxìng. "Méi wèntí, shīfu, zhèlǐ yǒu jǐ gè xiǎo yāoguài. Búyòng dānxīn, zǒu ba, zǒu ba."

Jiù zài zhè shí, kǎnmùrén bújiànle. "Nà hěn bù hǎo," Zhū Bājiè shuō. "Wǒmen zài dà báitiān lǐ yùdào le guǐ." Sūn Wùkōng xiàng sì gè fāngxiàng kàn qù, dàn méiyǒu kànjiàn kǎnmùrén. Ránhòu tā táitóu kàn xiàng tiānkōng, kàndào Rì Zhí zuò zài yún shàng. Tā fēi qǐlái hǎndào: "Rúguǒ nǐ yǒu huà yào shuō, wèishénme yào biànchéng kǎnmùrén? Nǐ kěyǐ jiù zhème gàosù wǒmen de." Rì Zhí hàipà jí le, shuō duìbùqǐ, Sūn Wùkōng bǎ tā gǎnzǒu le. Ránhòu tā huí dào dìshàng, kāishǐ xiàng qítā rén zǒu qù.

常困难的。你必须变得有点疯才能过这个地方！”

“啊，太好了。我已经有点疯了。谢谢！”孙悟空转身走回到唐僧和其他人那里。他很高兴。“没问题，师父，这里有几个小妖怪。不用担心，走吧，走吧。”

就在这时，砍木人不见了。“那很不好，”猪八戒说。“我们在大白天里遇到了鬼。”孙悟空向四个方向看去，但没有看见砍木人。然后他抬头看向天空，看到日值坐在云上。他飞起来喊道：“如果你有话要说，为什么要变成砍木人？你可以就这么告诉我们的。”日值害怕极了，说对不起，孙悟空把他赶[3]走了。然后他回到地上，开始向其他人走去。

---

[3] 赶 gǎn – to chase away

Sūn Wùkōng huílái shí, tā duì zìjǐ shuō: "Wǒ yīnggāi zěnme zuò? Rúguǒ wǒ gàosù shīfu guānyú zhèxiē yāoguài de zhēnxiàng, tā huì fēicháng hàipà, tā kěnéng huì cóng mǎshàng diào xiàlái, shāngle zìjǐ. Dànshì, rúguǒ wǒ bú gàosù tā, tā kěnéng huì zuò yìxiē hěn bèn de shìqing, zhèxiē yāoguài huì shāle tā." Tā xiǎng le yīhuǐ'er. Ránhòu, tā juédìng piàn Zhū Bājiè qù zhǎo gèng duō yǒuguān zhèxiē yāoguài de shì.

Sūn Wùkōng ràng tā de yǎnjīng lǐ liú le xiē shuǐ, kàn qǐlái hǎoxiàng zài kū. Zhū kàn dào zhège, biàn dé fēicháng hàipà. Tā shuō: "Jiùshì zhèyàng le. Wǒmen de lǚtú jiéshù le. Shā, nǐ yīnggāi huí dào hé lǐ, zàicì chéngwéi yāoguài. Wǒ yào huí dào wǒde cūnzhuāng, kànkàn wǒ de qīzi shìbúshì hái zài nàlǐ. Wǒmen kěyǐ mài le zhè pǐ mǎ. Wǒmen kěyǐ yòng zhè qián wèi shīfu mǎi yì kǒu guāncai, gěi tā niánlǎo de shíhòu yòng."

"Nǐ wèishénme zhèyàng shuōhuà, nǐ zhège bèn kǔlì?"

孙悟空回来时，他对自己说：“我应该怎么做？如果我告诉师父关于这些妖怪的真相，他会非常害怕，他可能会从马上掉下来，伤了自己。但是，如果我不告诉他，他可能会做一些很笨的事情，这些妖怪会杀了他。”他想了一会儿。然后，他决定骗[4]猪八戒去找更多有关这些妖怪的事。

孙悟空让他的眼睛里流了些水，看起来好像在哭。猪看到这个，变得非常害怕。他说：“就是这样了。我们的旅途结束了。沙，你应该回到河里，再次成为妖怪。我要回到我的村庄，看看我的妻子是不是还在那里。我们可以卖了这匹马。我们可以用这钱为师父买一口棺材，给他年老的时候用。”

“你为什么这样说话，你这个笨苦力？”

[4] 骗 piàn – to trick

Tángsēng wèn.

"Nǐ méi kànjiàn Sūn Wùkōng zài kū ma? Tā shì yígè qiángdà de zhànshì. Rúguǒ tā zài kū, tā yídìng hěn hàipà. Rúguǒ tā hàipà, wǒmen hái néng zuò shénme?"

Tángsēng shuō: "Bié zhèyàng shuōhuà le. Wùkōng, nǐ wèishénme bù kāixīn? Nǐ wèishénme gěi wǒmen kàn nàxiē búshì yǎnlèi de yǎnlèi?"

"Shīfu, wǒ gāng hé Rì Zhí tánguò. Tā gàosù wǒ, zhè zuò shānshàng de yāoguài fēicháng wēixiǎn. Wǒ hěn qiáng, dàn wǒ bù zhīdào wǒ néngbùnéng dǎ yíng tāmen suǒyǒu de rén."

"A, shìde. Jiù xiàng shū zhōng shuō de, "guǎ bùkě dí zhòng." Dàn qǐng jìzhù, nǐ búshì yígè rén. Nǐ zhèlǐ yǒu Zhū Bājiè hé Shā Wùjìng zài bāngzhù nǐ. Wǒ huì bǎ tāmen gěi nǐ

唐僧问。

"你没看见孙悟空在哭吗？他是一个强大的战士。如果他在哭，他一定很害怕。如果他害怕，我们还能做什么？"

唐僧说："别这样说话了。悟空，你为什么不开心？你为什么给我们看那些不是眼泪[5]的眼泪？"

"师父，我刚和日值谈过。他告诉我，这座山上的妖怪非常危险。我很强，但我不知道我能不能打赢他们所有的人。"

"啊，是的。就像书中说的，"寡不可敌众[6]。"但请记住，你不是一个人。你这里有猪八戒和沙悟净在帮助你。我会把他们给你

[5] 泪 lèi – tears

[6] 寡不可敌众 guǎ bùkě dí zhòng – "few cannot win over many." This is a quote from the Mencius (孟子), a book written by the Confucian philosopher of the same name during the Warring States period, 4th century B.C.

yòng, bāngzhù nǐ."

Zhè zhèngshì Sūn Wùkōng xiǎngyào cóng shīfu nàlǐ tīngdào de! Tā duì Zhū shuō: "Nǐ bìxū zuò liǎng jiàn shì. Dì yī, nǐ bìxū zhàogù wǒmen de shīfu. Dì èr, nǐ bìxū jìn shān zhǎo yāoguài."

Zhū huídá: "Wǒ bù míngbai, gēge. Zhàogù wǒmen de shīfu, wǒ bìxū liú zài zhèlǐ. Zhǎo yāoguài, wǒ bìxū chūqù. Wǒ bùnéng liǎng gè dōu zuò!"

"Nà jiù zuò tāmenzhōng de yígè."

"Wǒ bù zhīdào zuò nǎ yígè. Gàosù wǒ gèng duō yǒuguān zhè liǎng gè gōngzuò de shì."

"Hǎoba. Yào zhàogù wǒmen de shīfu, nǐ bìxū zuò suǒyǒu tā yāoqiú zuò de shì. Rúguǒ tā xiǎng qù zǒulù, jiù hé tā yìqǐ qù. Rúguǒ tā èle, qù wèi tā yào sù shí. Rúguǒ tā

用，帮助你。”

这正是孙悟空想要从师父那里听到的！他对猪说：“你必须做两件事。第一，你必须照顾我们的师父。第二，你必须进山找妖怪。”

猪回答：“我不明白，哥哥。照顾我们的师父，我必须留在这里。找妖怪，我必须出去。我不能两个都做！”

“那就做它们中的一个。”

“我不知道做哪一个。告诉我更多有关这两个工作的事。”

“好吧。要照顾我们的师父，你必须做所有他要求做的事。如果他想去走路，就和他一起去。如果他饿了，去为他要素食。如果他

xūyào qù shùlín lǐ shàng cèsuǒ, bāngzhù tā."

"Zhè tīng qǐlái fēicháng wēixiǎn. Rúguǒ wǒ qù wèi tā yào shíwù, wǒ kěnéng huì zài lùshàng yùdào rén. Tāmen búhuì zhīdào wǒ hé Tángsēng zài yìqǐ. Tāmen zhǐ huì kàndào yìtóu kěyǐ chī de dà pàng zhū. Tāmen huì shāle wǒ, bǎ wǒ chīdiào!"

"Nàme jìn shān zhǎo yāoguài. Kànkàn yǒu duōshǎo yāoguài, tāmen zhù zài nǎlǐ."

"A, nà hěn róngyì," Zhū shuō. Tā ná qǐ bàzi, líkāi qù zhǎo yāoguài. Tā líkāi hòu, Sūn Wùkōng xiào le qǐlái, duì Tángsēng shuō: "Nǐ hé wǒ dōu zhīdào Zhū búhuì qù zhǎo yāoguài de. Tā huì zǒu yīhuǐ'er, ránhòu tā huì zhǎo yígè hǎo dìfang zài dìshàng xiūxi shuìjiào. Ránhòu tā huì huílái gàosù wǒmen yìxiē méiyǒu yìsi de gùshì. Nǐ jiù děngzhe, wǒ huì gēnzhe tā, kànkàn tā zuò xiē shénme."

需要去树林里上厕所[7]，帮助他。”

“这听起来非常危险。如果我去为他要食物，我可能会在路上遇到人。他们不会知道我和唐僧在一起。他们只会看到一头可以吃的大胖猪。他们会杀了我，把我吃掉！”

“那么进山找妖怪。看看有多少妖怪，他们住在哪里。”

“啊，那很容易，”猪说。他拿起耙子，离开去找妖怪。他离开后，孙悟空笑了起来，对唐僧说：“你和我都知道猪不会去找妖怪的。他会走一会儿，然后他会找一个好地方在地上休息睡觉。然后他会回来告诉我们一些没有意思的故事。你就等着，我会跟着他，看看他做些什么。”

---

[7] 厕所 cèsuǒ – bathroom

他对这三块石头讲了一个很长的故事，讲他找到一个山神住的山洞.

Tā duìzhè sān kuài shítou jiǎng le yígè hěn cháng de gùshì, jiǎng tā zhǎodào yígè shānshén zhù de shāndòng.

He told the three rocks a long story about finding a cave where mountain spirits lived.

Sūn Wùkōng qīngshēng shuō: "Biàn!" Tā de shēntǐ biànchéng le yì zhī xiǎo fēi chóng. Xiàng Zhū fēi qù, tíng zài tā de ěrduo shàng. Búyòng wèn, Zhū zhǎodào le yí piàn shūfu de cǎodì, zài shàngmiàn xiūxi shuìjiào. Jǐ gè xiǎoshí hòu, tā zhàn qǐlái, kāishǐ xiàng qítā rén nàlǐ zǒu huíqù. Dāng tā kàndào sān kuài dà píngshí shí, tā tíng le xiàlái. Tā zhàn zài shítou qián. Tā duìzhè sān kuài shítou jiǎng le yígè hěn cháng de gùshì, jiǎng tā zhǎodào yígè shānshén zhù de shāndòng, kàn le shāndòng lǐmiàn. Dāng tā shuō wán hòu, zài zǒuxiàng Tángsēng hé qítā rén shí, tā jìxù duì zìjǐ jiǎng zhège gùshì.

Dànshì Sūn Wùkōng fēi dào le Zhū de qiánmiàn, bǐ Zhū xiān dào. Tā biàn huí hóuzi, duì Tángsēng shuō: "Zhū láile. Tā shuì le yìtiān. Dàn tā zào le yígè guānyú zhǎo shānshén dòng de gùshì. Wǒ tīng le zhège gùshì. Xiànzài, nǐ jiù děngzhe, nǐ huì zìjǐ tīngdào zhège gùshì."

Hěn kuài, Zhū huílái le. Tā zhàn zài Tángsēng, Sūn Wùkōng hé Shā sēng miànqián, jiǎng le tā gàosù sān kuài píngshí de tóngyàng de gù

孙悟空轻声说："变！"他的身体变成了一只小飞虫。向猪飞去，停在他的耳朵上。不用问，猪找到了一片舒服的草地，在上面休息睡觉。几个小时后，他站起来，开始向其他人那里走回去。当他看到三块大平石时，他停了下来。他站在石头前。他对这三块石头讲了一个很长的故事，讲他找到一个山神住的山洞，看了山洞里面。当他说完后，在走向唐僧和其他人时，他继续对自己讲这个故事。

但是孙悟空飞到了猪的前面，比猪先到。他变回猴子，对唐僧说："猪来了。他睡了一天。但他造了一个关于找山神洞的故事。我听了这个故事。现在，你就等着，你会自己听到这个故事。"

很快，猪回来了。他站在唐僧、孙悟空和沙僧面前，讲了他告诉三块平石的同样的故

shì. "Bèn rén!" Sūn Wùkōng hǎndào, yòng tāde bàng dǎ le Zhū. "Wǒ tīngguò nǐ duì sān kuài píngshí jiǎng de tóngyàng de gùshì. Nǐ méiyǒu zhǎodào yígè shāndòng, nǐ zhǐshì zhǎodào le yígè shuìjiào de hǎo dìfang. Nǐ wèishénme bù gàosù wǒmen zhēnxiàng?"

Zhū zhuā zhù Tángsēng de cháng yī shuō: "Shīfu, qǐng bǎohù wǒ, búyào ràng zhè zhī hóuzi shānghài wǒ!"

Tángsēng shuō: "Wùkōng, bié zài dǎ Zhū le. Dànshì Zhū, nǐ bìxū zàicì huí dào shānshàng. Zhè cì, zuò hǎo nǐ de gōngzuò!" Suǒyǐ Zhū huí dào le shānshàng. Tā fēicháng hàipà, dàn tā zuò le tā de gōngzuò. Wǒmen guò yīhuǐ'er zàishuō tā de shì.

Xiànzài, nǐ jìdé zhè zuò shān jiào Píngdǐng Shān, nàlǐ yǒu yígè dà dòng jiào Liánhuā Dòng. Yǒu liǎng gè yāoguài zhù zài nà'er. Niánlíng dà de jiào Jīn Jiǎo Dàwáng, niánlíng xiǎo de jiào Yín Jiǎo Dàwáng. Jīn Jiǎo duì Yín Jiǎo shuō: "Nǐ zhīdào wǒ jīntiān tīngdào le shénme?

事。“笨人！”孙悟空喊道，用他的棒打了猪。“我听过你对三块平石讲的同样的故事。你没有找到一个山洞，你只是找到了一个睡觉的好地方。你为什么不告诉我们真相？”

猪抓住唐僧的长衣说：“师父，请保护我，不要让这只猴子伤害我！”

唐僧说：“悟空，别再打猪了。但是猪，你必须再次回到山上。这次，做好你的工作！”所以猪回到了山上。他非常害怕，但他做了他的工作。我们过一会儿再说他的事。

现在，你记得这座山叫平顶山，那里有一个大洞叫莲花洞。有两个妖怪住在那儿。年龄大的叫金角大王，年龄小的叫银角大王。金角对银角说：“你知道我今天听到了什么？

Táng huángdì ràng tā de dìdi Tángsēng qù xīfāng zhǎo shèng shū. Tā huì zài Sīchóu Zhī Lù shàng, jīngguò wǒmen de shān, lí wǒmen de dòng hěn jìn. Tā shì yígè fēicháng lìhài de shèngrén. Tā de shēntǐ yǒu hěn qiáng de mólì. Rúguǒ wǒmen chīle tā, wǒmen huì huó dé hěnjiǔ hěnjiǔ. Qù zhǎo tā, bǎ tā dài huí zhèlǐ, zhèyàng wǒmen jiù kěyǐ bǎ tā dàng wǎnfàn chī le."

Suǒyǐ Yín Jiǎo dàizhe sānshí gè xiǎo móguǐ chūqù zhǎo Tángsēng. Tāmen méiyǒu zhǎodào Tángsēng, dànshì hěn kuài tāmen fāxiàn Zhū zǒu zài shānlù shàng. Zhū kàndào le yāoguài hé xiǎo móguǐ. Tā hěn hàipà, dànshì tā yòng tāde bàzi hé tāmen zhàndòu.

Yín Jiǎo xiàole. "Wǒ xiǎng nǐ shì zhǎngdà hòu chéngwéi héshang de. Nǐ niánqīng de shíhòu yídìng shì yígè nóngfū. Nǐ yǒu yì bǎ nóngfū de bàzi!"

Zhū huídá: "Wǒ de háizi, nǐ bù zhīdào zhège bàzi! Dāng wǒ yòng tā zhàndòu shí, tā huì dàilái lěngfēng hé míngliàng de

唐皇帝让他的弟弟唐僧去西方找圣书。他会在丝绸之路上，经过我们的山，离我们的洞很近。他是一个非常厉害的圣人。他的身体有很强的魔力。如果我们吃了他，我们会活得很久很久。去找他，把他带回这里，这样我们就可以把他当晚饭吃了。”

所以银角带着三十个小魔鬼出去找唐僧。他们没有找到唐僧，但是很快他们发现猪走在山路上。猪看到了妖怪和小魔鬼。他很害怕，但是他用他的耙子和他们战斗。

银角笑了。“我想你是长大后成为和尚的。你年轻的时候一定是一个农夫[8]。你有一把农夫的耙子！”

猪回答：“我的孩子，你不知道这个耙子！当我用它战斗时，它会带来冷风和明亮的

---

[8] 农夫　nóngfū – farmer

huǒ, tā zhē rì yuè. Tā zhuā yāoguài, shā móguǐ. Tā bǎ Tài Shān biàn wéi píngdì. Lǎohǔ hé lóng yí jiàndào tā jiù táo. Nǐ kěnéng hěn qiángdà, dànshì dāng nǐ yùdào zhè bàzi, wǒ jiù huì kàndào nǐ de xuě!"

Yāoguài yě yǒu wǔqì, nà shì qī xīng jiàn. Tā jǔqǐ jiàn pǎo xiàng Zhū, tāmen liǎng gè zhàndòu le hěn cháng shíjiān. Zhū kuàiyào dǎ yíng zhè chǎng zhàndòu le, dàn hòulái yǒu sānshí gè xiǎo móguǐ lái bāngzhù yāoguài. Zhū bùnéng hé suǒyǒu de rén zhàndòu. Tā dǎo zài dìshàng, móguǐ zhuāzhù le tāde shǒubì hé tuǐ, ránhòu tāmen bǎ tā tái huí le Liánhuā Dòng.

Yín Jiǎo dà hǎn, "Gēge, kànkàn wǒmen yǒu le shénme! Wǒmen zhuādào le Tángsēng!"

Niánzhǎng de yāoguài, Jīn Jiǎo Dàwáng kànzhe Zhū. Tā shuō: "Dìdi, zhè búshì Tángsēng. Zhè zhǐshì yì zhī dà zhū. Tā shì méi

火，它遮[9]日月。它抓妖怪，杀魔鬼。它把泰山[10]变为平地。老虎和龙一见到它就逃。你可能很强大，但是当你遇到这耙子，我就会看到你的血！”

妖怪也有武器，那是七星剑。他举起剑跑向猪，他们两个战斗了很长时间。猪快要打赢这场战斗了，但后来有三十个小魔鬼来帮助妖怪。猪不能和所有的人战斗。他倒在地上，魔鬼抓住了他的手臂和腿，然后他们把他抬回了莲花洞。

银角大喊，“哥哥，看看我们有了什么！我们抓到了唐僧！”

年长的妖怪，金角大王看着猪。他说：“弟弟，这不是唐僧。这只是一只大猪。他是没

---

[9] 遮　　zhē – to hide

[10] Mount Tai is a huge mountain, a metaphor for anything unfathomably heavy, either physically or philosophically.

yǒuyòng de."

"Shìde, wǒ méiyǒu yòng!" Zhū shuō. "Nǐ yīnggāi ràng wǒ zǒu."

"Bù," niánqīng de yāoguài shuō. "Tā shì hé Tángsēng yìqǐ de. Wǒmen yīnggāi liúzhù tā. Bǎ tā fàng zài shāndòng hòumiàn de shuǐchí zhōng. Bǎ tā zài shuǐzhōng fàng jǐ tiān, ránhòu qùdiào tā de pí, bǎ tā fàng zài tàiyáng xià ràng tā biàn gān. Yǐhòu, wǒmen kěyǐ bǎ tā hé jiǔ yìqǐ dāng zhōngfàn chī."

"Hǎode," Jīn Jiǎo shuō. Ránhòu tā gàosù tāde xiǎo móguǐ bǎ Zhū kǔn qǐlái, rēng jìn shuǐ lǐ.

Zhège shíhòu, yīnwèi Zhū méiyǒu huílái, Tángsēng biàndé hěn dānxīn. Tā shuō, "Zhège dìfang hěn wēixiǎn. Zhèlǐ rén hěn shǎo, bú xiàng shì yígè cūnzhuāng huò yí zuò xiǎo chéng. Wǒmen yào zài nǎlǐ jiàndào tā?"

有用的。”

“是的，我没有用！”猪说。“你应该让我走。”

“不，”年轻的妖怪说。“他是和唐僧一起的。我们应该留住他。把他放在山洞后面的水池[11]中。把他在水中放几天，然后去掉他的皮，把他放在太阳下让他变干。以后，我们可以把他和酒一起当中饭吃。”

“好的，”金角说。然后他告诉他的小魔鬼把猪捆起来，扔进水里。

这个时候，因为猪没有回来，唐僧变得很担心。他说，“这个地方很危险。这里人很少，不像是一个村庄或一座小城。我们要在哪里见到他？”

---

[11] 池 chí – pool, pond

"Bié dānxīn, shīfu." Sūn Wùkōng huídá. "Zhǐyào ràng nǐde mǎ zǒu dé kuài yìdiǎn, wǒmen jiù huì gēn shàng tā."

Tángsēng qíshàng mǎ, kāishǐ hěn kuài de zǒu xià shānlù. Dànshì tā bù zhīdào, Jīn Jiǎo zài jǐ lǐ wài kànzhe tā. "Tángsēng láile!" Jīn Jiǎo duì tā de xiǎo móguǐ shuō, tā yòng shǒuzhǐ zhǐ xiàng héshang. Tángsēng de shēntǐ mǎshàng fādǒu, dàn tā bù zhīdào wèishénme. Yín Jiǎo xiàng tóng yígè fāngxiàng kàn, zhǐzhe Tángsēng, shuō: "Shì tā ma?" Tángsēng zài yícì fādǒu.

"Wǒ wèishénme huì dǒu chéng zhèyàng?" tā wèn qítā rén.

"Wǒ juédé nǐ shì bù shūfu," Shā Wùjìng shuō, "Zhè jiùshì wèishénme nǐ gǎndào lěng, fādǒu."

"Wǒ xiǎng nǐ zhǐshì hàipà," Sūn Wùkōng shuō. "Ràng wǒ gěi nǐ kàn yìxiē dōngxi, néng ràng nǐ gǎnjué hǎo yìdiǎn." Tā náchū Jīn Gū Bàng, kāishǐ liànxí. Tā shàngxià huīdòngzhe bàng, rán

“别担心，师父。”孙悟空回答。“只要让你的马走得快一点，我们就会跟上他。”

唐僧骑上马，开始很快地走下山路。但是他不知道，金角在几里外看着他。“唐僧来了！”金角对他的小魔鬼说，他用手指指向和尚。唐僧的身体马上发抖[12]，但他不知道为什么。银角向同一个方向看，指着唐僧，说：“是他吗？”唐僧再一次发抖。

“我为什么会抖成这样？”他问其他人。

“我觉得你是不舒服，”沙悟净说，“这就是为什么你感到冷，发抖。”

“我想你只是害怕，”孙悟空说。“让我给你看一些东西，能让你感觉好一点。”他拿出金箍棒，开始练习。他上下挥动着棒，然

[12] 发抖 fādǒu – to tremble or shiver

hòu zuǒyòu, ránhòu dǎ quān. Tā xiàng qián tuī bàng, xiàng hòu lā bàng. Tā biǎoyǎn dé hěn měi hěn qiángdà.

Sūn Wùkōng zuò zhèxiē liànxí shì yīnwèi tā bùxiǎng ràng Tángsēng nàme hàipà. Dànshì dāng Yín Jiǎo kàn dào Sūn Wùkōng yòng Jīn Gū Bàng liànxí shí, tā biàn dé fēicháng fēicháng hàipà. “Kànkàn nà zhī hóuzi hé tā de bàng,” tā duì nàxiē xiǎo móguǐ shuō. “Tā tài qiángdà, kěyǐ dǎ yíng wǒmen yí wàn rén. Wǒmen zhǐyǒu jǐ bǎi míng zhànshì. Wǒmen bùnéng hé zhè zhī hóuzi zhàndòu!”

Xiǎo móguǐ huídá: “Rúguǒ wǒmen dǎ bù yíng hóuzi, wǒmen shìbúshì yīnggāi bǎ nà zhī zhū fàngle?”

“Bù,” Yín Jiǎo shuō, “wǒmen bìxū yòng bùtóng de bànfǎ. Suǒyǒu rén, huí dào shāndòng. Wǒ huì zìjǐ zhuāzhù Tángsēng.”

Xiǎo móguǐ dōu huí dào le Liánhuā Dòng. Yāoguài biàn chéng le yí wèi lǎo

后左右，然后打圈[13]。他向前推棒，向后拉棒。他表演得很美很强大。

孙悟空做这些练习是因为他不想让唐僧那么害怕。但是当银角看到孙悟空用金箍棒练习时，他变得非常非常害怕。“看看那只猴子和他的棒，”他对那些小魔鬼说。“他太强大，可以打赢我们一万人。我们只有几百名战士。我们不能和这只猴子战斗！”

小魔鬼回答：“如果我们打不赢猴子，我们是不是应该把那只猪放了？”

“不，”银角说，“我们必须用不同的办法。所有人，回到山洞。我会自己抓住唐僧。”

小魔鬼都回到了莲花洞。妖怪变成了一位老

[13] 圈 quān – a circle

他问："你怎么了？为什么你的腿上有伤？"

Tā wèn: "Nǐ zěnmele? Wèishénme nǐde tuǐ shàng yǒu shāng?"

He asked, "What happened to you? Why is your leg hurt?"

dàoren. Xiànzài tā yǒu yìtóu bái fà, yí jiàn lánsè sīchóu cháng yī hé huángsè xiézi. Tā de tuǐ shàng dōu shì xuě, tā zài shānlù biān de yíkuài dà shítou hòumiàn de dìshàng xiūxi. Tā kūzhe shuō: "Jiù jiù wǒ! Jiù jiù wǒ!"

Tángsēng qízhe mǎ, hé Sūn Wùkōng, Shā Wùjìng yìqǐ lái dào zhèlǐ. Tā tīngdào dàoren zài kū. Tā shuō: "Shuí zài zhèlǐ?"

Dàoren cóng dà shítou hòumiàn pá chūlái, pá dào shānlùshàng. Tā yícì yòu yícì de kētóu. Tángsēng xiàmǎ, zhuāzhù dàoren de shǒubì, shuō: "Qǐng yéye qǐlái!" Ránhòu Tángsēng kàndào le héshang tuǐ shàng de xuě. Tā wèn: "Nǐ zěnmele? Wèishénme nǐde tuǐ shàng yǒu shāng?"

"Zuótiān wǎnshàng, wǒ hé wǒ de túdì zài huí jiā de lù shàng, zài shānlù shàng yùdào yì zhī dà lǎohǔ. Lǎohǔ zhuāle wǒ de túdì, bǎ tā tuōzǒu le. Wǒ yòng quánlì táozǒu, dànshì wǒ dǎo zài shítou shàng, shāng le wǒde tuǐ. Xièxiè nǐ, dàshī, jīn

道人。现在他有一头白发，一件蓝色丝绸长衣和黄色鞋子。他的腿上都是血，他在山路边的一块大石头后面的地上休息。他哭着说："救救我！救救我！"

唐僧骑着马，和孙悟空、沙悟净一起来到这里。他听到道人在哭。他说："谁在这里？"

道人从大石头后面爬出来，爬到山路上。他一次又一次地磕头。唐僧下马，抓住道人的手臂，说："请爷爷起来！"然后唐僧看到了和尚腿上的血。他问："你怎么了？为什么你的腿上有伤？"

"昨天晚上，我和我的徒弟在回家的路上，在山路上遇到一只大老虎。老虎抓了我的徒弟，把他拖走了。我用全力逃走，但是我倒在石头上，伤了我的腿。谢谢你，大师，今

tiān bāngzhù le wǒ!"

Tángsēng shuō: "Wǒmen dāngrán huì bāngzhù nǐ. Wùkōng, bǎ zhège rén fàng zài nǐde bèi shàng, bēizhe tā. Wǒmen yào bǎ tā dài huí dào tā de sìmiào."

Sūn Wùkōng bào qǐ dàoren, kāishǐ bēizhe tā. Dànshì tā qīngshēng shuō: "Wǒ zhīdào nǐ búshì dàoren. Nǐ shì gè yāoguài. Tángsēng xiāngxìn nǐ shuōde huà shì zhēn de, dàn wǒ huó le hěnjiǔ, wǒ yìdiǎn yě bù xiāngxìn nǐ. Wǒ xiǎng nǐ xiǎngyào shā sǐ wǒ de shīfu, ránhòu chīle tā. Dànshì, rúguǒ nǐ zhèyàng zuò, nǐ yīnggāi fēn yíbàn gěi wǒ!"

"Wǒ búshì yāoguài!" yāoguài shuō. "Wǒ shì yígè kělián de dàoren, jīntiān zài lùshàng yùdào le yì zhī lǎohǔ."

Sūn Wùkōng huídá: "Wǒ de shīfu shì gè hǎorén, dàn tā yǒu de shíhòu yě hěn bèn. Tā xiāngxìn tā de yǎnjīng kàndào de. Tā kànbúdào nǐ lǐmiàn de dōngxi. Dànshì wǒ kàndào le nǐ lǐmiàn de dōngxi, wǒ zhīdào nǐ shì shénme. Nǐ búshì dàoren."

天帮助了我！”

唐僧说：“我们当然会帮助你。悟空，把这个人放在你的背上，背着他。我们要把他带回到他的寺庙。”

孙悟空抱起道人，开始背着他。但是他轻声说：“我知道你不是道人。你是个妖怪。唐僧相信你说的话是真的，但我活了很久，我一点也不相信你。我想你想要杀死我的师父，然后吃了他。但是，如果你这样做，你应该分一半给我！”

“我不是妖怪！”妖怪说。“我是一个可怜的道人，今天在路上遇到了一只老虎。”

孙悟空回答：“我的师父是个好人，但他有的时候也很笨。他相信他的眼睛看到的。他看不到你里面的东西。但是我看到了你里面的东西，我知道你是什么。你不是道人。”

Hóuzi bēi le dàoren jǐ lǐ lù, dàn hòulái tā kāishǐ yuè zǒu yuè màn le. Bùjiǔ, Tángsēng hé Shā Wùjìng jiù yuǎnyuǎn de zǒu zài tāmen de qiánmiàn. Dāng Sūn Wùkōng kànbúdào Tángsēng hé Shā shí, tā juédìng shā sǐ dàoren. Dànshì dàoren zhīdào Sūn Wùkōng xiǎng zuò shénme.

Zài Sūn Wùkōng shā sǐ tā zhīqián, tā fēi shàng le tiānkōng, yòng shǒu zuò le yígè mófǎ. Bǎ Xūmí Shān tái qǐ, xiàng Sūn Wùkōng de tóu shàng diào xià. Sūn Wùkōng de tóu xiàng yòu ràng le yíxià, shān diào zài tā de zuǒ jiān shàng. Tā xiàozhe shuō: "Zhè shì shénme mófǎ? Wǒ juédé liǎngbiān bù yíyàng." Yāoguài yòu zuò le yígè mófǎ, bǎ Éméi Shān tái qǐ, diào dào Sūn Wùkōng de yòu jiān shàng. "Xièxiè." Sūn Wùkōng shuō. "Wǒ xiànzài gǎnjué hǎoduōle." Tā bēizhe liǎng zuò dàshān, kāishǐ pǎo xiàng Tángsēng

猴子背了道人几里路，但后来他开始越走越慢了。不久，唐僧和沙悟净就远远地走在他们的前面。当孙悟空看不到唐僧和沙时，他决定杀死道人。但是道人知道孙悟空想做什么。

在孙悟空杀死他之前，他飞上了天空，用手做了一个魔法。把须弥山[14]抬起，向孙悟空的头上掉下。孙悟空的头向右让了一下，山掉在他的左肩上。他笑着说："这是什么魔法？我觉得两边不一样。"妖怪又做了一个魔法，把峨眉山[15]抬起，掉到孙悟空的右肩上。"谢谢。"孙悟空说。"我现在感觉好多了。"他背着两座大山，开始跑向唐僧

---

[14] Mt. Meru, also known as Mt. Sumeru, known in Buddhism as the central axis of the universe, reaching up into heaven.

[15] Mt. Emei, one of the four sacred Buddhist mountains. It is believed that Buddha arrived from India and his teachings spread from this mountain throughout China.

hé Shā sēng.

Yāoguài kàndào le zhège, duì zìjǐ shuō: “Zhè zhī hóuzi hěn qiángdà. Dànshì wǒ gèng qiángdà!” Ránhòu, yāoguài yòu zuò le yígè mófǎ, bǎ zhōngguó zuìdà de Tài Shān tái qǐ, diào zài Sūn Wùkōng de tóu shàng. Duì Sūn Wùkōng lái shuō, zhè tài lìhài le. Tā dǎo zài dìshàng. Xuě cóng tāde ěrduo, yǎnjīng, bízi hé zuǐ lǐ liúchū.

Yāoguài líkāi le bèi guān zài sān zuò shān xiàmiàn de Sūn Wùkōng, gēnshàng le Tángsēng hé Shā sēng. Shā Wùjìng xiǎngyào zhàndòu, dàn yāoguài tài qiángdà le. Yāoguài zhuā qǐ le Tángsēng, Shā, mǎ hé xínglǐ, ránhòu bǎ tāmen dōu dài huí Liánhuā Dòng.

Dànshì dāng tā lái dào shāndòng shí, tāde gēge bù gāoxìng. “Sūn Wùkōng zài nǎlǐ?” tā wèn. “Rúguǒ wǒmen chī le nàgè héshang hé qítā liǎng gè túdì, nà zhī hóuzi huì hěn shēngqì. Tā huì lái zhèlǐ, tā huì gěi wǒmen dài lái hěn dà de máfan.”

和沙僧。

妖怪看到了这个，对自己说：“这只猴子很强大。但是我更强大！”然后，妖怪又做了一个魔法，把中国最大的泰山抬起，掉在孙悟空的头上。对孙悟空来说，这太厉害了。他倒在地上。血从他的耳朵，眼睛，鼻子和嘴里流出。

妖怪离开了被关在三座山下面的孙悟空，跟上了唐僧和沙僧。沙悟净想要战斗，但妖怪太强大了。妖怪抓起了唐僧、沙、马和行李，然后把他们都带回莲花洞。

但是当他来到山洞时，他的哥哥不高兴。“孙悟空在哪里？”他问。“如果我们吃了那个和尚和其他两个徒弟，那只猴子会很生气。他会来这里，他会给我们带来很大的麻烦。”

"Bié dānxīn, gēge. Hóuzi zài sān zuò dàshān xiàmiàn. Sān zuò shān zhōng de yí zuò shì Tài Shān. Tā dòng bùliǎo."

"Hǎo, nà hěn hǎo. Dànshì, wèile ānquán, bǎ tā zhuā dào zhèlǐ lái." Ránhòu niánzhǎng de yāoguài gàosù tā de liǎng gè móguǐ qù zhuā Sūn Wùkōng. "Názhe wǒ de liǎng jiàn bǎobèi." tā shuō, "názhe zǐjīn húlu hé yù huāpíng, qù zhǎo Sūn Wùkōng. Zhǎodào tā hòu, jiào tā de míngzì. Dāng tā huídá shí, dǎkāi húlu. Hóuzi huì bèi xī jìn húlu lǐ. Guān jǐn húlu, bǎ tā dài huí zhèlǐ."

Sūn Wùkōng zài sān zuò shān de xiàmiàn. Tā shāng dé hěn lìhài, tā bù kāixīn, yīnwèi tā bùnéng bāngzhù Tángsēng hé tā de péngyǒu. Tā dàshēng de kūzhe. Shānshén, tǔdì shén hé Jīntóu Shìwèi tīngdào le tā de kūshēng. Jīntóu Shìwèi duì qítā liǎng gè rén shuō: "A, zhè hěn bùhǎo. Nǐmen zhīdào shuí zài nǐmen de shān xiàmiàn ma? Shì Sūn Wùkōng, nàgè Qí Tiān Dà Shèng. Wǔbǎi nián qián, tā zài tiāngōng zhǎo le dà máfan. Xiànzài tā shì Tángsēng de túdì. Nǐmen tóngyì yāoguài bǎ tā guān zài sān zuò shān xiàmiàn.

"别担心，哥哥。猴子在三座大山下面。三座山中的一座是泰山。他动不了。"

"好，那很好。但是，为了安全，把他抓到这里来。"然后年长的妖怪告诉他的两个魔鬼去抓孙悟空。"拿着我的两件宝贝。"他说，"拿着紫金葫芦和玉花瓶，去找孙悟空。找到他后，叫他的名字。当他回答时，打开葫芦。猴子会被吸进葫芦里。关紧葫芦，把他带回这里。"

孙悟空在三座山的下面。他伤得很厉害，他不开心，因为他不能帮助唐僧和他的朋友。他大声的哭着。山神、土地神和金头侍卫听到了他的哭声。金头侍卫对其他两个人说："啊，这很不好。你们知道谁在你们的山下面吗？是孙悟空，那个齐天大圣。五百年前，他在天宫找了大麻烦。现在他是唐僧的徒弟。你们同意妖怪把他关在三座山下面。

Dāng tā táo chūlái de shíhòu, tā huì fēicháng shēngqì, tā kěnéng huì shā sǐ nǐmen liǎng gè."

"Wǒmen bù zhīdào!" Shānshén hé tǔdì shén dōu kū le. "Wǒmen zhǐshì zuò le wǒmen de gōngzuò. Wǒmen tīng dào yǒurén zài shuō bān shān de mó yǔ, suǒyǐ wǒmen bǎ tāmen bān le qǐlái. Jiùshì zhèyàng de. Wǒmen bù zhīdào shān huì diào zài Qí Tiān Dà Shèng de shēnshàng."

Xiànzài shānshén hé tǔdì shén dōu fēicháng hàipà. Tāmen zǒu dào sān zuò shānshàng, dàshēng hǎndào: "Dà shèng! Shānshén, tǔdì shén hé Jīntóu Shìwèi dōu lái bāngzhù nǐ. Wǒmen qǐngqiú nǐ ràng wǒmen bǎ shān bān zǒu, zhèyàng nǐ cáinéng chūlái. Fēicháng duìbùqǐ. Qǐng yuánliàng wǒmen!"

Sūn Wùkōng huídá: "Bān shān jiù xíng. Wǒ búhuì shānghài nǐmen de." Shānshén hé tǔdì shén shuō le mó yǔ, sān zuò shān tái qǐ, huí dào le tāmen běnlái de dìfang. Sūn Wùkōng tiào le qǐlái. Tā tái liǎn xiàng tiānkōng, dàshēng shuō: "Tiān nǎ! Cóng wǒ

当他逃出来的时候，他会非常生气，他可能会杀死你们两个。”

“我们不知道！”山神和土地神都哭了。“我们只是做了我们的工作。我们听到有人在说搬山的魔语，所以我们把它们搬了起来。就是这样的。我们不知道山会掉在齐天大圣的身上。”

现在山神和土地神都非常害怕。他们走到三座山上，大声喊道：“大圣！山神，土地神和金头侍卫都来帮助你。我们请求你让我们把山搬走，这样你才能出来。非常对不起。请原谅我们！”

孙悟空回答：“搬山就行。我不会伤害你们的。”山神和土地神说了魔语，三座山抬起，回到了它们本来的地方。孙悟空跳了起来。他抬脸向天空，大声说：“天哪！从我

zài Huāguǒ Shān shàng chūshēng dào xiànzài, wǒ yìshēng dōu zài zhǎo yí wèi lǎoshī lái bāngzhù wǒ xuéxí chángshēng bùlǎo de mìmì. Wǒ kěyǐ shā sǐ lǎohǔ, wǒ kěyǐ hé lóng zhàndòu, wǒ kěyǐ zài tiāngōng lǐ zhǎo máfan, wǒ bèi jiàozuò Qí Tiān Dà Shèng. Dànshì wǒ yǐqián cónglái méiyǒu jiànguò zhèyàng de shìqing. Wǒ bùnéng xiàng zhège yāoguài nàyàng bāndòng sān zuò shān. Zhège yāoguài gēn shānshén hé tǔdì shén shuōhuà shí, jiù hǎoxiàng tāmen shì kǔlì yíyàng! Tiān nǎ, rúguǒ nǐ shēngxià le lǎo hóuzi, wèishénme hái yào shēngxià zhèxiē yāoguài ne?"

Sūn Wùkōng děngzhe, dàn méiyǒu tīngdào cóng tiāngōng lái de huídá. Dàn hěn yuǎn de dìfang, tā kàndào le liǎng dào guāng. Tā wèn shānshén nàxiē guāng shì shénme. Shānshén huídá shuō: "Tāmen shì Jīn Jiǎo

在花果山上出生到现在，我一生都在找一位老师来帮助我学习长生不老的秘密。我可以杀死老虎，我可以和龙战斗，我可以在天宫里找麻烦，我被叫做齐天大圣。但是我以前从来没有见过这样的事情。我不能像这个妖怪那样搬动三座山。这个妖怪跟山神和土地神说话时，就好像他们是苦力一样！天哪，如果你生下了老猴子，为什么还要生下这些妖怪呢？[16]”

孙悟空等着，但没有听到从天宫来的回答。但很远的地方，他看到了两道光。他问山神那些光是什么。山神回答说：“它们是金角

---

[16] This is a parody of the dying words of General Zhou Yu at the end of the Battle of Red Cliff in the classic novel *Romance of the Three Kingdoms*. His adversary was the strategist Zhuge Liang. As he died, Zhou said, “O Heaven, you let Zhou Yu be born, why did you let Zhuge Liang be born also?”

hé Yín Jiǎo zhè liǎng gè yāoguài de bǎobèi."

"Hěn hǎo!" Sūn Wùkōng shuō. "Wǒ xiǎng wǒ huì qù tāmen de shāndòng lǐ jiàn tāmen. Gàosù wǒ, tāmen xǐhuān shénme yàng de kèrén?"

"Tāmen xǐhuān hé dàorenmen zuò zài yìqǐ hē chá." Shānshén huídá. Shānshén hé tǔdì shén líkāi le. Sūn Wùkōng biàn chéng yígè lǎo dàoren. Xiànzài, tā chuānzhe yí jiàn jiù cháng yī, shǒu lǐ názhe yì zhī mùyú. Tā zuò zài shānlù de yìbiān děngzhe.

Bùjiǔ, lái zhuā Sūn Wùkōng de liǎng gè móguǐ dào le. Tāmen kàndào le lǎo dàoren. Tāmen de shīfu xǐhuān jiàn dàoren, suǒyǐ liǎng gè móguǐ tíng xiàlái, xiàng lǎo dàoren jūgōng wènhǎo.

"Nǐmen hǎo, wǒ de liǎng gè niánqīng péngyǒu," kàn qǐlái xiàng dàoren de hóuzi shuō. "Wǒ shì Pénglái Shān de shénxiān. Wǒ lái zhèlǐ shì wèile bāngzhù rénmen chéngwéi shénxiān. Nǐmen xiǎng chéng

和银角这两个妖怪的宝贝。”

“很好！”孙悟空说。“我想我会去他们的山洞里见他们。告诉我，他们喜欢什么样的客人？”

“他们喜欢和道人们坐在一起喝茶。”山神回答。山神和土地神离开了。孙悟空变成一个老道人。现在，他穿着一件旧长衣，手里拿着一只木鱼[17]。他坐在山路的一边等着。

不久，来抓孙悟空的两个魔鬼到了。他们看到了老道人。他们的师父喜欢见道人，所以两个魔鬼停下来，向老道人鞠躬问好。

“你们好，我的两个年轻朋友，”看起来像道人的猴子说。“我是蓬莱山的神仙。我来这里是为了帮助人们成为神仙。你们想成

[17] A wooden fish is used as a sort of drum, played during recitation of Daoist scriptures.

wèi shénxiān ma?"

Dāng liǎng gè móguǐ tīngdào zhège shí, tāmen biàn dé fēicháng de gāoxìng. "Dāngrán!" tāmen liǎng gè shuō.

"Hǎo. Gàosù wǒ nǐmen shì shuí, nǐmen jīntiān zài zuò shénme."

Qízhōng yígè móguǐ huídá shuō: "Wǒmen de zhǔrén shì Jīn Jiǎo Dàwáng. Tā yǒu qiángdà de mólì. Tā de dìdi Yín Jiǎo Dàwáng tái qǐ sān zuò dàshān, ràng tāmen diào zài le lǎo hóu zǐ Sūn Wùkōng shēnshàng. Xiànzài, hóuzi bèi guān zài shān de xiàmiàn. Wǒmen de zhǔrén ràng wǒmen bǎ hóuzi fàng jìn zhège húlu lǐ."

"Nǐ huì zěnme zuò?"

"Wǒ huì jiào tā de míngzì. Dāng tā huídá shí, wǒ huì dǎkāi húlu. Tā huì bèi xī jìn húlu. Ránhòu, wǒ huì guān jǐn húlu, tā huì bèi guān zài lǐmiàn. Zài yì xiǎoshí sān kè zhōng shíjiān

为神仙吗？”

当两个魔鬼听到这个时，他们变得非常的高兴。“当然！”他们两个说。

“好。告诉我你们是谁，你们今天在做什么。”

其中一个魔鬼回答说：“我们的主人是金角大王。他有强大的魔力。他的弟弟银角大王抬起三座大山，让它们掉在了老猴子孙悟空身上。现在，猴子被关在山的下面。我们的主人让我们把猴子放进这个葫芦里。”

“你会怎么做？”

“我会叫他的名字。当他回答时，我会打开葫芦。他会被吸进葫芦。然后，我会关紧葫芦，他会被关在里面。在一小时三刻钟时间

lǐ, tā huì biàn chéng yètǐ."

"Fēicháng hǎo!" dàoren shuō. "Wǒ yǒu hé zhège hěn xiàng de dōngxi." Sūn Wùkōng cóng tóushàng báxià yì gēn tóufǎ, shuō: "Biàn!" Tóufǎ biàn chéng le yígè húlu, kànshàngqù hé liǎng gè móguǐ názhe de húlu yíyàng. Tā duì móguǐ shuō: "Nǐmen xǐhuān ma?"

"Nà, búcuò, dànshì tā méiyǒu rènhé mólì. Wǒmen de húlu yǒu qiángdà de mólì. Wǒmen kěyǐ bǎ yìqiān gè rén fàng jìnqù."

"Nà hěn yǒuyìsi. Dànshì wǒde húlu bǐ nǐde húlu hái yào qiángdà. Wǒ kěyǐ bǎ tiāngōng fàng zài lǐmiàn! Yǒudeshíhòu tiāngōng ràng wǒ shēngqì. Dāng zhè zhǒng qíngkuàng fāshēng shí, wǒ huì bǎ tiāngōng zài húlu lǐ fàng yīhuǐ'er, ránhòu zài ràng tā chūqù."

里，他会变成液体[18]。”

“非常好！”道人说。“我有和这个很像的东西。”孙悟空从头上拔下一根头发，说：“变！”头发变成了一个葫芦，看上去和两个魔鬼拿着的葫芦一样。他对魔鬼说：“你们喜欢吗？”

“那，不错，但是它没有任何魔力。我们的葫芦有强大的魔力。我们可以把一千个人放进去。”

“那很有意思。但是我的葫芦比你的葫芦还要强大。我可以把天宫放在里面！有的时候天宫让我生气。当这种情况发生时，我会把天宫在葫芦里放一会儿，然后再让它出去。”

[18] 液体 yètǐ – liquid

Qízhōng yí wèi móguǐ xiàozhe shuō: "Nà zhēnde shì fēicháng qiángdà de mófǎ! Rúguǒ nǐ shuōde shì zhēnde, wǒmen xiǎng hé nǐ huàn húlu. Dànshì nǐ bìxū xiān ràng wǒmen kànkàn nǐ húlu de mólì."

"Hǎoba," dàoren shuō, "dànshì zài wǒmen huàn de shíhòu, nǐ hái bìxū gěi wǒ yù huāpíng." Móguǐ tóngyì le, yīnwèi tāmen xiǎng chéngwéi shénxiān. "Děng yíxià." Tā shuō. Ránhòu tā hěn kuài fēi dào tiāngōng, qù le Yùhuáng Dàdì de gōngdiàn. "Dàdì, wǒ zhèng hé Tángsēng yìqǐ qù xīfāng zhǎo shèng shū. Yìxiē qiángdà de yāoguài zǔzhǐ le women de qùlù. Wǒ xūyào tāmen de mó húlu. Yào zuò dào zhè yìdiǎn, wǒ bìxū ràng tāmen kàn wǒ kěyǐ bǎ tiāngōng fàng jìn wǒ zìjǐ de húlu lǐ. Suǒyǐ, wǒ xūyào yòng tiāngōng bàn xiǎoshí zuǒyòu de shíjiān. Qǐng nǐ wèi wǒ zuò zhège. Rúguǒ nǐ bú zuò, wǒ huì zài tiāngōng lǐ kāizhàn!"

Yùhuáng Dàdì shēngqì le, zhèng yào shuō bù. Dàn Sān Wángzǐ Nǎzhà duì tā shuō: "Bìxià, wǒ zhīdào zhè zhī hóuzi hěn má

其中一位魔鬼笑着说：“那真的是非常强大的魔法！如果你说的是真的，我们想和你换葫芦。但是你必须先让我们看看你葫芦的魔力。”

“好吧，”道人说，“但是在我们换的时候，你还必须给我玉花瓶。”魔鬼同意了，因为他们想成为神仙。“等一下。”他说。然后他很快飞到天宫，去了玉皇大帝的宫殿。“大帝，我正和唐僧一起去西方找圣书。一些强大的妖怪阻止了我们的去路。我需要他们的魔葫芦。要做到这一点，我必须让他们看我可以把天宫放进我自己的葫芦里。所以，我需要用天宫半小时左右的时间。如果你不做，我会在天宫里开战！”

玉皇大帝生气了，正要说不。但三王子哪吒对他说：“陛下，我知道这只猴子很麻

他对两个魔鬼说：“好吧。来吧。看这个。”

Tā duì liǎng gè móguǐ shuō: “Hǎoba. Láiba. Kàn zhège.”

He said to the two demons, “All right. Here we go. Watch this.”

fán, zài tiāngōng lǐ zhǎol e hěnduō máfan. Dànshì tā shì Tángsēng de túdì, wǒmen bìxū bāngzhù nàgè héshang. Wǒ yǒu gè zhǔyì. Wǒmen kěyǐ yòng hēisè dà qí zhēzhù tiāngōng. Dìqiú shàng de rénmen jiù kànbúdào tàiyáng, yuèliang hé xīngxing. Tāmen huì rènwéi hóuzi zhēnde bǎ tiāngōng fàng zài tā de húlu zhōng."

Yùhuáng Dàdì diǎn diǎn tóu, zhuǎnxiàng Sūn Wùkōng. "Hǎoba. Wǒmen jiù zhèyàng zuò, búshì bāngzhù nǐ, shì bāngzhù Tángsēng."

Sūn Wùkōng fēi huí dào dìqiú shàng, biàn huí dàoren. Tā duì liǎng gè móguǐ shuō: "Hǎoba. Láiba. Kàn zhège." Ránhòu tā bǎ húlu rēng le shàngqù. Nǎzhā Wángzǐ kàndào le zhège, jiù yòng hēisè de qízi zhēzhù le tiāngōng. Tàiyáng, yuèliang hé xīngxing dōu bùjiànle. Tiānkōng biàn chéng hēisè, hēi'àn zhēzhù le dàdì.

Móguǐ xiàhuàile. "Tíng xiàlái, tíng xiàlái!" Tāmen kūle. Dàoren shuō le yìxiē mó yǔ. Nǎzhā tīngdào le. Tā juǎn qǐ hēisè de qízi, tàiyáng zàicì chūxiàn zài tiānkōng zhōng. Liǎng

烦，在天宫里找了很多麻烦。但是他是唐僧的徒弟，我们必须帮助那个和尚。我有个主意。我们可以用黑色大旗遮住天宫。地球上的人们就看不到太阳，月亮和星星。他们会认为猴子真的把天宫放在他的葫芦中。”

玉皇大帝点点头，转向孙悟空。“好吧。我们就这样做，不是帮助你，是帮助唐僧。”

孙悟空飞回到地球上，变回道人。他对两个魔鬼说：“好吧。来吧。看这个。”然后他把葫芦扔了上去。哪吒王子看到了这个，就用黑色的旗子遮住了天宫。太阳，月亮和星星都不见了。天空变成黑色，黑暗遮住了大地。

魔鬼吓坏了。“停下来，停下来！”他们哭了。道人说了一些魔语。哪吒听到了。他卷起黑色的旗子，太阳再次出现在天空中。两

gè móguǐ zài fādǒu. Tāmen bǎ tāmen de húlu hé yù huāpíng gěi le dàoren. Dàoren bǎ tā de húlu gěi le móguǐ, mǎshàng líkāi le. Zhè liǎng gè móguǐ xiǎngyào yòng húlu, dànshì tā dāngrán méiyǒu rènhé mófǎ, yīnwèi tā zhǐshì yì zhī pǔtōng de húlu. Sūn Wùkōng zài tiānshàng de yún shàng kànzhe xiàozhe. Ránhòu tā bǎ húlu biàn huí le tóufǎ, bǎ tóufǎ fàng huí dào tóushàng. Xiànzài, móguǐ shénme dōu méiyǒu - méiyǒu húlu, méiyǒu huāpíng, yě méiyǒu Sūn Wùkōng.

Tāmen huí dào shāndòng, gàosù Jīn Jiǎo Dàwáng hé Yín Jiǎo Dàwáng fāshēng le shénme shì. Zhè liǎng gè yāoguài duì dàoren hěn shēngqì, dàn tāmen bù zhīdào nàgè dàoren qíshí shì Sūn Wùkōng. Jīn Jiǎo duì tā de dìdi shuō: "Wǒmen xūyào yòng yígè bùtóng de bànfǎ lái zhuāzhù zhè zhī hóuzi. Ràng wǒmen yòng lìngwài sān jiàn bǎobèi. Wǒ yǒu qī xīng jiàn, wǒ hái yǒu bājiāo shàn. Lìng yí jiàn bǎobèi shì huángjīn shéng. Wǒmen mǔqīn yǒu nà bǎobèi. Ràng wǒmen qǐng tā dàizhe nà shéngzi lái wǒmen de shāndòng jiàn wǒmen. Wǒmen kěyǐ

个魔鬼在发抖。他们把他们的葫芦和玉花瓶给了道人。道人把他的葫芦给了魔鬼，马上离开了。这两个魔鬼想要用葫芦，但是它当然没有任何魔法，因为它只是一只普通的葫芦。孙悟空在天上的云上看着笑着。然后他把葫芦变回了头发，把头发放回到头上。现在，魔鬼什么都没有 – 没有葫芦，没有花瓶，也没有孙悟空。

他们回到山洞，告诉金角大王和银角大王发生了什么事。这两个妖怪对道人很生气，但他们不知道那个道人其实是孙悟空。金角对他的弟弟说："我们需要用一个不同的办法来抓住这只猴子。让我们用另外三件宝贝。我有七星剑，我还有芭蕉扇[19]。另一件宝贝是黄金绳。我们母亲有那宝贝。让我们请她带着那绳子来我们的山洞见我们。我们可以

---

[19] 芭蕉扇　　bājiāo shàn – palm-leaf fan

yòng zhè sān jiàn bǎobèi qù zhuā hóuzi."

Yāoguài yòu jiào le lìngwài liǎng gè xiǎo móguǐ. Tāmen gàosù móguǐmen qù tāmen mǔqīn de jiā, qǐng tā lái shāndòng. Dànshì Sūn Wùkōng biàn chéng le yì zhī xiǎo fēi chóng, tīngdào le tāmen shuō de měi jù huà. Tā gēnzhe liǎng gè xiǎo móguǐ zǒu le liǎng, sān lǐ lù. Ránhòu tā fēi dào tāmen qiánmiàn, biàn chéng le yígè chuānzhe lǎohǔ pí de xiǎo móguǐ. Tā pǎo xiàng liǎng gè móguǐ, shuō: "Hēi, nǐmen! Děngděng wǒ!"

"Nǐ shì shuí?" Yígè xiǎo móguǐ wèn. "Wǒmen yǐqián cónglái méiyǒu jiànguò nǐ."

"Wǒ yě wèi Jīn Jiǎo Dàwáng hé Yín Jiǎo Dàwáng gōngzuò. Tāmen xiǎng ràng tāmen de mǔqīn mǎshàng qù jiàn tāmen. Tāmen juédé nǐmen liǎng gè zǒu dé tài màn. Suǒyǐ, tāmen ràng wǒ lái kànkàn nǐmen zǒu dé kuàibùkuài. Xiànzài kāishǐ pǎo!" Liǎng gè móguǐ xiāngxìn le tā. Suǒyǐ tāmen sān gè pǎo xià shānlù. Dāng tāmen zǒu jìn yāoguài mǔqīn de jiā shí, Sūn Wùkōng biàn huí le zìjǐ běnlái de

用这三件宝贝去抓猴子。”

妖怪又叫了另外两个小魔鬼。他们告诉魔鬼们去他们母亲的家，请她来山洞。但是孙悟空变成了一只小飞虫，听到了他们说的每句话。他跟着两个小魔鬼走了两、三里路。然后他飞到他们前面，变成了一个穿着老虎皮的小魔鬼。他跑向两个魔鬼，说：“嘿，你们！等等我！”

“你是谁？”一个小魔鬼问。“我们以前从来没有见过你。”

“我也为金角大王和银角大王工作。他们想让他们的母亲马上去见他们。他们觉得你们两个走得太慢。所以，他们让我来看看你们走得快不快。现在开始跑！”两个魔鬼相信了他。所以他们三个跑下山路。当他们走近妖怪母亲的家时，孙悟空变回了自己本来的

yàngzi, náchū Jīn Gū Bàng, dǎ zài liǎng móguǐ de tóu shàng, shā sǐ le tāmen. Ránhòu tā bǎ zìjǐ biàn chéng yígè móguǐ, yòng tāde yì gēn tóufǎ biàn chéng lìng yígè móguǐ. Ránhòu tāmen liǎng gè zǒu dào yāoguài mǔqīn de jiā.

Móguǐ dǎ le mén. Dāng yāoguài de mǔqīn lái dào ménkǒu shí, tā xiàng tā jūgōng. Tā shuō: "Wǒ cóng Liánhuā Dòng lái. Nǐ de liǎng gè érzi gàosù wǒ lái zhèlǐ. Tāmen xiǎng ràng nǐ dào tāmen de shāndòng lǐ chī Tángsēng de ròu. Tāmen hái yào nǐ dàishàng huángjīn shéng, yīnwèi tāmen xūyào yòng tā qù zhuā hóuzi Sūn Wùkōng."

Yāoguài de mǔqīn tīngdào zhège hěn gāoxìng. Tā chūlái, zuò zài tāde jiàozi shàng. Liǎng gè Sūn Wùkōng biàn de móguǐ tái qǐ jiàozi, zài shānlù shàng tái le jǐ lǐ lù. Ránhòu, dāng tāmen lí fángzi hěn yuǎn de shíhòu, Sūn Wùkōng yòng tā de Jīn Gū Bàng dǎ le yāoguài mǔqīn de tóu. Yāoguài de mǔqīn mǎshàng sǐ le. Tā sǐ hòu, tā de shēntǐ biàn chéng le yì zhī jiǔ wěi hú, zhè shì tā de

样子，拿出金箍棒，打在两魔鬼的头上，杀死了他们。然后他把自己变成一个魔鬼，用他的一根头发变成另一个魔鬼。然后他们两个走到妖怪母亲的家。

魔鬼打了门。当妖怪的母亲来到门口时，他向她鞠躬。他说："我从莲花洞来。你的两个儿子告诉我来这里。他们想让你到他们的山洞里吃唐僧的肉。他们还要你带上黄金绳，因为他们需要用它去抓猴子孙悟空。"

妖怪的母亲听到这个很高兴。她出来，坐在她的轿子[20]上。两个孙悟空变的魔鬼抬起轿子，在山路上抬了几里路。然后，当他们离房子很远的时候，孙悟空用他的金箍棒打了妖怪母亲的头。妖怪的母亲马上死了。她死后，她的身体变成了一只九尾狐，这是她的

---

[20] 轿子 jiàozi – sedan chair

zhēn yàngzi. Sūn Wùkōng ná le huángjīn shéng, fàng jìn xiùzi lǐ. Xiànzài tā yǒu wǔ jiàn bǎobèi zhōng de sān jiàn bǎobèi.

Tā biàn le tā de yàngzi, xiànzài tā kànqǐlái xiàng yāoguài de mǔqīn. Tā cóng tóushàng báxià lìng yì gēn tóufǎ, bǎ tā biàn chéng lìng yígè xiǎo móguǐ. Ránhòu, liǎng gè xiǎo móguǐ bǎ mǔqīn bào shàng jiàozi, dàn tāmen sān gè dāngrán dōu shì Sūn Wùkōng!

Bùjiǔ tāmen lái dào le shāndòng. Nàgè lǎo fūrén cóng jiàozi lǐ chūlái, mànman de zǒu jìn le shāndòng. Tā miàn xiàng nán zuò xià. Jīn Jiǎo Dàwáng hé Yín Jiǎo Dàwáng xiàng tā kētóu, shuō: "Māma, nǐde háizi xiàng nǐ jūgōng."

"Wǒ de érzimen, qǐng qǐlái," mǔqīn shuō.

Xiànzài, qǐng jìzhù, Zhū Bājiè, hái yǒu Shā Wùjìng hé Tángsēng yě zài shāndòng lǐ. Zhū bèi kǔn qǐlái, zuò zài shuǐchí lǐ. Dāng mǔqīn zhuǎnguòshēnlái shí, Zhū kàn dào tā yǒu hóuzi de wěibā.

真样子。孙悟空拿了黄金绳，放进袖子里。现在他有五件宝贝中的三件宝贝。

他变了他的样子，现在他看起来像妖怪的母亲。他从头上拔下另一根头发，把它变成另一个小魔鬼。然后，两个小魔鬼把母亲抱上轿子，但他们三个当然都是孙悟空！

不久他们来到了山洞。那个老夫人从轿子里出来，慢慢地走进了山洞。她面向南坐下。[21] 金角大王和银角大王向她磕头，说："妈妈，你的孩子向你鞠躬。"

"我的儿子们，请起来，"母亲说。

现在，请记住，猪八戒，还有沙悟净和唐僧也在山洞里。猪被捆起来，坐在水池里。当母亲转过身来时，猪看到她有猴子的尾巴。

[21] The south-facing seat is the place of honor in a Chinese home.

Zhū dàshēng xiào. "Shì Sūn Wùkōng!" Tā duì Shā Wùjìng shuō.

"Ānjìng diǎn," Shā shuō. "Ràng wǒmen kànkàn lǎo hóuzi huì zuò shénme."

Lǎo mǔqīn shuō: "Qīn'ài de érzi, nǐmen wèishénme yào wǒ jīntiān lái zhèlǐ?"

Jīn Jiǎo huídá shuō: "Qīn'ài de māmā, wǒmen qǐng nǐ guòlái hé wǒmen yìqǐ chī Tángsēng de ròu. Wǒmen bǎ tā zuò chéng wǎnfàn chī."

"Nàgè, wǒ búshì zhēnde hěn xiǎng chī héshang. Dànshì wǒ zhēnde hěn xiǎng shìshì zhū ròu. Ràng wǒmen chī nàlǐ nà tóu dà zhū. Wǒmen kěyǐ cóng tā de ěrduo kāishǐ, wǒ tīng shuō tāmen fēicháng hàochī."

Dāng Zhū tīngdào zhège, tā hǎndào: "Suǒyǐ, nǐ lái zhèlǐ chī wǒ de ěrduo, shì ma? Wǒ yīnggāi gàosù zhèxiē yāoguài nǐ shì shuí!"

猪大声笑。“是孙悟空！”他对沙悟净说。

“安静点，”沙说。“让我们看看老猴子会做什么。”

老母亲说：“亲爱的儿子，你们为什么要我今天来这里？”

金角回答说：“亲爱的妈妈，我们请你过来和我们一起吃唐僧的肉。我们把他做成晚饭吃。”

“那个，我不是真的很想吃和尚。但是我真的很想试试猪肉。让我们吃那里那头大猪。我们可以从他的耳朵开始，我听说它们非常好吃。”

当猪听到这个，他喊道：“所以，你来这里吃我的耳朵，是吗？我应该告诉这些妖怪你是谁！”

Liǎng gè yāoguài dōu tīngdàole. Tāmen kànzhe Zhū, ránhòu tāmen duìkàn le yíxià, ránhòu kànzhe tāmen de mǔqīn. Tāmen liǎ dōu tiào le qǐlái. Dànshì jiù zài zhè shí, yígè xiǎo móguǐ pǎo jìn shāndòng, shuō: "Dàshì bùhǎo, dàshì bùhǎo! Sūn Wùkōng shā sǐ le nǐmen de mǔqīn, biàn le tā de yàngzi, zhèyàng tā kànqǐlái xiàng tā yíyàng. Tā jiù zài nàlǐ!" Yín Jiǎo mǎshàng ná qǐ qī xīng jiàn, zhǔnbèi hé Sūn Wùkōng zhàndòu. Dànshì Jīn Jiǎo tái qǐ shǒu zǔzhǐ le tā. "Nǐ dǎbùyíng zhè chǎng zhàndòu, dìdi. Tā hěn qiángdà. Ràng tā zǒu. Ràng qítā rén yě líkāi."

Yín Jiǎo shuō: "Shénme? Nǐ pà tāmen ma? Wǒ bú hàipà. Ràng wǒmen zhèyàng zuò: Wǒ hé zhè zhī hóuzi dǎ sān gè láihuí. Rúguǒ wǒ yíng le, wǒmen zài wǎnfàn shàng chīle Tángsēng, míngtiān zài chī qítā de rén. Rúguǒ wǒ shū le, wǒmen huì ràng tāmen quánbù líkāi. Zěnmeyàng?" Jīn Jiǎo tóngyì le, Yín Jiǎo chuānshàng le kuījiǎ, zhǔnbèi zhàndòu. Sūn Wùkōng biàn huí dào běnlái de yàngzi, xiàozhe děng tā.

两个妖怪都听到了。他们看着猪，然后他们对看了一下，然后看着他们的母亲。他们俩都跳了起来。但是就在这时，一个小魔鬼跑进山洞，说："大事不好，大事不好！孙悟空杀死了你们的母亲，变了她的样子，这样他看起来像她一样。他就在那里！"银角马上拿起七星剑，准备和孙悟空战斗。但是金角抬起手阻止了他。"你打不赢这场战斗，弟弟。他很强大。让他走。让其他人也离开。"

银角说："什么？你怕他们吗？我不害怕。让我们这样做：我和这只猴子打三个来回。如果我赢了，我们在晚饭上吃了唐僧，明天再吃其他的人。如果我输了，我们会让他们全部离开。怎么样？"金角同意了，银角穿上了盔甲，准备战斗。孙悟空变回到本来的样子，笑着等他。

"Lǎo hóuzi!" Yín Jiǎo xiàng Sūn Wùkōng dàhǎn. "Bǎ wǒmen de mǔqīn hé wǒmen de bǎobèi huán gěi wǒmen. Wǒ huì ràng nǐ hé qítā rén zǒu. Nǐmen kěyǐ qù xīfāng, wǒmen búhuì zài gěi nǐmen zhǎo máfan." Dāngrán, tā zhīdào Sūn Wùkōng búhuì xǐhuān zhèxiē huà.

Sūn Wùkōng zhǐshì xiào tā. "Nǐ zhège bèn yāoguài, lǎo hóuzi búhuì ràng nǐ zhème róngyì líkāi. Bǎ wǒ de shīfu, wǒ de péngyǒu, báimǎ hé wǒmen de xínglǐ huán gěi wǒ. Lìngwài, gěi wǒmen yìxiē lùshàng yòng de qián. Rúguǒ wǒ cóng nǐ nàlǐ tīngdào bàn gè 'bù' zì, nà jiùshì nǐ shēngmìng jiéshù de shíhòu. Nǐ zhǐ xūyào yòng huángjīn shéng bǎ zìjǐ diào qǐlái jiù kěyǐ le, búyòng máfan wǒ shā sǐ nǐ le."

Yín Jiǎo hé Sūn Wùkōng dōu tiào dào yún shàng, kāishǐ zhàndòu. Zhè shì Sūn Wùkōng yìshēng zhōng zuìdà de yì chǎng zhàndòu. Jiù xiàng liǎng zhī lǎohǔ zài shānshàng zhàndòu, liǎng tiáo lóng zài hǎishàng zhàndòu. Tāmen yòng

“老猴子！”银角向孙悟空大喊。“把我们的母亲和我们的宝贝还给我们。我会让你和其他人走。你们可以去西方，我们不会再给你们找麻烦。”当然，他知道孙悟空不会喜欢这些话。

孙悟空只是笑他。“你这个笨妖怪，老猴子不会让你这么容易离开。把我的师父、我的朋友、白马和我们的行李还给我。另外，给我们一些路上用的钱。如果我从你那里听到半个‘不’字，那就是你生命结束的时候。你只需要用黄金绳把自己吊[22]起来就可以了，不用麻烦我杀死你了。”

银角和孙悟空都跳到云上，开始战斗。这是孙悟空一生中最大的一场战斗。就像两只老虎在山上战斗，两条龙在海上战斗。他们用

[22] 吊 diào – to hang

le yìqiān zhǒng bùtóng de zhàndǒu fāngfǎ. Yígè yòng Jīn Gū Bàng, lìng yígè yòng qī xīng jiàn. Tāmen zhàndòu le yìtiān yìyè. Tāmen dǎ le sānshí gè láihuí, dàn méiyǒu rén néng yíng.

Zuìhòu, Sūn Wùkōng ná chū huángjīn shéng, rēng xiàng Yín Jiǎo, kǔnzhù tā. Dànshì Yín Jiǎo zhīdào sōng shéng fǎ. Tā shuō le jǐ jù huà, shéngzi cóng tā shēnshàng diào le xiàlái. Ránhòu Yín Jiǎo zhuāzhù le shéngzi, bǎ tā rēng dào le Sūn Wùkōng shēnshàng. Sūn Wùkōng xiǎng yòng sōng shéng fǎ, dàn Yín Jiǎo gèng kuài, tā yòng le jǐn shéng fǎ. Shéngzi jǐnjǐn kǔnzhù le Sūn Wùkōng. Hóuzi bùnéng dòng. Yāoguài cóng Sūn Wùkōng de xiùzi lǐ ná chū húlu hé huāpíng. Ránhòu tā bǎ hóuzi dài huí shāndòng.

Dāng tāmen huí dào shāndòng shí, Yín Jiǎo gàosù yìxiē xiǎo móguǐ bǎ Sūn Wùkōng kǔn zài zhùzi shàng. Ránhòu tā zǒu jìn lìng yígè fángjiān lǐ qù hējiǔ, hé tāde gēge shuōhuà. Yāoguài yì zǒu, Sūn Wùkōng yáo le yáo tóu. Tāde Jīn Gū Bàng cóng tāde ěrduo lǐ

了一千种不同的战斗方法。一个用金箍棒，另一个用七星剑。他们战斗了一天一夜。他们打了三十个来回，但没有人能赢。

最后，孙悟空拿出黄金绳，扔向银角，捆住他。但是银角知道松绳法。他说了几句话，绳子从他身上掉了下来。然后银角抓住了绳子，把它扔到了孙悟空身上。孙悟空想用松绳法，但银角更快，他用了紧绳法。绳子紧紧捆住了孙悟空。猴子不能动。妖怪从孙悟空的袖子里拿出葫芦和花瓶。然后他把猴子带回山洞。

当他们回到山洞时，银角告诉一些小魔鬼把孙悟空捆在柱子上。然后他走进另一个房间里去喝酒，和他的哥哥说话。妖怪一走，孙悟空摇[23]了摇头。他的金箍棒从他的耳朵里

[23] 摇　　yáo – to shake or twist

diào le chūlái, diào dào le tāde shǒuzhōng. Tā zài shàngmiàn chuī le yíxià, bàng biàn chéng le zuànshí dāo. Tā yòng dāo kǎn le huángjīn shéng. Ránhòu tā cóng tóushàng báxià lìng yì gēn tóufǎ, chuī le yíxià, ránhòu biàn chéng le lìng yì zhī xiàng tā yíyàng de hóuzi. Tā yòng huángjīn shéng kǔnzhù le dì èr zhī hóuzi. Ránhòu tā bǎ zìjǐ biàn chéng xiǎo móguǐ de yàngzi.

Zhū Bājiè hái zài shuǐchí zhōng. Tā kàndào le zhè yíqiè. Tā xiàng yāoguài dàshēng hǎndào: "Bùhǎole, bùhǎole! Bèi kǔnzhù de hóuzi búshì zhēnde hóuzi. Zhēnde hóuzi pǎo le!"

"Tā zài hǎn shénme?" Jīn Jiǎo názhe yìbēi hóngjiǔ wèn.

"Nà zhī pàng zhū zhǐshì xiǎngyào zhǎo máfan," Sūn Wùkōng biànde xiǎo móguǐ shuō. "Tā xiǎng ràng hóuzi shìzhe táozǒu, dàn hóuzi búhuì zhèyàng zuò. Zhè jiùshì wèishénme nà zhī zhū yào hǎn. Dànshì wǒmen bìxū xiǎoxīn. Hóuzi kěnéng huì táozǒu. Ràng wǒmen yòng gèng cū de shéngzi bǎ tā kǔn zài zhùzi shàng."

掉了出来，掉到了他的手中。他在上面吹了一下，棒变成了钻石刀。他用刀砍了黄金绳。然后他从头上拔下另一根头发，吹了一下，然后变成了另一只像他一样的猴子。他用黄金绳捆住了第二只猴子。然后他把自己变成小魔鬼的样子。

猪八戒还在水池中。他看到了这一切。他向妖怪大声喊道："不好了，不好了！被捆住的猴子不是真的猴子。真的猴子跑了！"

"他在喊什么？"金角拿着一杯红酒问。

"那只胖猪只是想要找麻烦，"孙悟空变的小魔鬼说。"他想让猴子试着逃走，但猴子不会这样做。这就是为什么那只猪要喊。但是我们必须小心。猴子可能会逃走。让我们用更粗的绳子把他捆在柱子上。"

"Nǐ shuōdéduì." Yāoguài shuō. Tā tuō xià zhòngzhòng de yāodài, bǎ tā gěi le xiǎo móguǐ. "Yòng zhège."

Xiǎo móguǐ yòng yāodài kǔnzhù hóuzi. Ránhòu tā hěn kuài zài tāde yì gēn tóufǎ shàng chuī le yìkǒu qì, zuò le dì èr gēn huángjīn shéng, bǎ tā kǔn zài hóuzi shēn shàng, ránhòu bǎ zhēnde huángjīn shéng fàng rù xiùzi lǐ. Jīn Jiǎo yǐjīng hē le hěnduō jiǔ, suǒyǐ tā méiyǒu kàndào zhège.

Háishì xiǎo móguǐ yàngzi de zhēnde Sūn Wùkōng cóng shāndòng lǐ pǎo le chūlái. Tā biàn huí dào tā hóuzi de yàngzi, hǎndào: "Hēi, zài nàlǐ de nǐ! Wǒ shì Sūn Xíngzhě de xiōngdì Zhě Xíng Sūn. Wǒ shì lái zhèlǐ gěi nǐ zhǎo máfan de!"

Yín Jiǎo lái dào ménkǒu shuō: "Wǒ zhuā le nǐ de xiōngdì. Tā bèi kǔn zài wǒ de shāndòng lǐ. Wǒ xiǎng nǐ xiǎngyào hé wǒ dǎ, dàn wǒ búhuì hé nǐ dǎ. Wǒ jiào nǐde míngzì. Nǐ shìbúshì bù gǎn huídá wǒ?"

“你说得对。”妖怪说。他脱下重重的腰带，把它给了小魔鬼。“用这个。”

小魔鬼用腰带捆住猴子。然后他很快在他的一根头发上吹了一口气，做了第二根黄金绳，把它捆在猴子身上，然后把真的黄金绳放入袖子里。金角已经喝了很多酒，所以他没有看到这个。

还是小魔鬼样子的真的孙悟空从山洞里跑了出来。他变回到他猴子的样子，喊道：“嘿，在那里的你！我是孙行者[24]的兄弟者行孙。我是来这里给你找麻烦的！”

银角来到门口说：“我抓了你的兄弟。他被捆在我的山洞里。我想你想要和我打，但我不会和你打。我叫你的名字。你是不是不敢回答我？”

---

[24] Sun Wukong is sometimes called 孙行者(Sūn Xíngzhě, Pilgrim Sun). Here he says his name backwards, giving us 者行孙 (Zhě Xíng Sūn, Sun Grimpil).

他马上被拖进了葫芦。

Tā mǎshàng bèi tuōjìn le húlu.

Instantly he was pulled into the gourd.

"Kěyǐ jiào wǒde míngzì yìqiān biàn, wǒ búpà huídá." Sūn Wùkōng huídá. Dànshì tā hěn hàipà. Tā zhīdào, rúguǒ tā shuōchū zhēnmíng, tā jiù huì bèi guān zài mó húlu zhōng. Dànshì tā bù zhīdào, rúguǒ yòng "Zhě Xíng Sūn" búyòng tā de zhēnmíng, huì fāshēng shénme.

Yāoguài hǎn dào, "Zhě Xíng Sūn!" Sūn Wùkōng huídá: "Wǒ shì Zhě Xíng Sūn!" Tā mǎshàng bèi tuōjìn le húlu. Yāoguài guān le húlu, Sūn Wùkōng bèi guān zài lǐmiàn. Tā xiǎng chūqù, dànshì tā méiyǒu bànfǎ dòng. Zhè shì yígè mó húlu. Bèi guān zài lǐmiàn de rènhé rén dōu huì zài yì xiǎoshí sān kè zhōng lǐ biàn chéng yètǐ. Sūn Wùkōng de shēntǐ xiàng zuànshí yíyàng yìng, suǒyǐ tā méiyǒu biàn chéng yètǐ. Dànshì tā hái bèi guān zài lǐmiàn.

Zhè liǎng gè yāoguài fēicháng gāoxìng, yīnwèi tāmen zhuāzhù le Zhě Xíng Sūn. "Ràng wǒmen děng jǐ gè xiǎoshí," qízhōng yígè shuō. "Ránhòu wǒmen yáodòng húlu. Rúguǒ wǒmen gǎnjué dào yètǐ zài lǐmiàn dòng, wǒmen jiù zhīdào hóuzi yǐjīng sǐ le."

“可以叫我的名字一千遍，我不怕回答。”孙悟空回答。但是他很害怕。他知道，如果他说出真名，他就会被关在魔葫芦中。但是他不知道，如果用“者行孙”不用他的真名，会发生什么。

妖怪喊道，“者行孙！”孙悟空回答：“我是者行孙！”他马上被拖进了葫芦。妖怪关了葫芦，孙悟空被关在里面。他想出去，但是他没有办法动。这是一个魔葫芦。被关在里面的任何人都会在一小时三刻钟里变成液体。孙悟空的身体像钻石一样硬，所以他没有变成液体。但是他还被关在里面。

这两个妖怪非常高兴，因为他们抓住了者行孙。“让我们等几个小时。”其中一个说，“然后我们摇动葫芦。如果我们感觉到液体在里面动，我们就知道猴子已经死了。”

Sūn Wùkōng zài xiǎng. Tā xūyào ràng yāoguàimen yǐwéi zìjǐ yǐjīng sǐ le, biàn chéng le yètǐ. Tā néng zuò shénme? Tā kěyǐ niào hěnduō niào, dànshì nà huì hěn nán wén, huì zāng tā de yīfu. Tā juédìng tǔ kǒushuǐ. Suǒyǐ tā kāishǐ yícì yòu yícì de tǔ kǒushuǐ, tā tǔ le bàn húlu kǒushuǐ. Ránhòu tā hǎndào: "A, bù! Wǒ de tuǐ biàn chéng le yètǐ. Wǒ de shǒubì biàn chéng le yètǐ. Wǒ de dùzi biàn chéng le yètǐ. Wǒ dānxīn wǒ de tóu hěn kuài jiù huì biàn chéng yètǐ!" Ránhòu tā biàn chéng le yī zhī xiǎo fēi chóng, tíng zài le húlu kǒu.

Jīn Jiǎo dǎkāi le húlu. Sūn Wùkōng mǎshàng fēi chū húlu, liú xiàle yì tān kǒushuǐ. Ránhòu tā cóng fēi chóng biàn chéng le xiǎo móguǐ. Tā zhàn zài nàlǐ kànzhe liǎng gè yāoguài, tāmen dàxiàozhe hēzhe jiǔ, tāmen yǐwéi tāmen yǐjīng shā sǐ le Zhě Xíng Sūn. Zài tāmen méiyǒu zhùyì de shíhòu, Sūn Wùkōng bǎ mó húlu fàng jìn xiùzi, ránhòu bǎ dì èr gè méiyǒu mófǎ de húlu fàng zài mó húlu de dìfang. Zài yāoguàimen jìxù xiàozhe hējiǔ de

孙悟空在想。他需要让妖怪们以为自己已经死了，变成了液体。他能做什么？他可以尿很多尿，但是那会很难闻，会脏他的衣服。他决定吐口水。所以他开始一次又一次地吐口水，他吐了半葫芦口水。然后他喊道："啊，不！我的腿变成了液体。我的手臂变成了液体。我的肚子变成了液体。我担心我的头很快就会变成液体！"然后他变成了一只小飞虫，停在了葫芦口。

金角打开了葫芦。孙悟空马上飞出葫芦，留下了一滩[25]口水。然后他从飞虫变成了小魔鬼。他站在那里看着两个妖怪，他们大笑着喝着酒，他们以为他们已经杀死了者行孙。在他们没有注意的时候，孙悟空把魔葫芦放进袖子，然后把第二个没有魔法的葫芦放在魔葫芦的地方。在妖怪们继续笑着喝酒的

[25] 滩 tān – (measure word)

shíhòu, Sūn Wùkōng zǒuchū le shāndòng.

Sūn Wùkōng zài shāndòng wài xiūxi le yīhuǐ'er. Ránhòu tā huíqù dǎ mén. "Kāimén. Shì wǒ, Sūn Xíngzhě!"

"Zhè shì shénme?" Jīn Jiǎo duì tā dìdi shuō. "Wǒmen yǐjīng bǎ Zhě Xíng Sūn fàng jìn le húlu. Sūn Xíngzhě yídìng shì tā de xiōngdì. Nàlǐ yǒu jǐ gè Sūn?"

Yín Jiǎo huídá shuō: "Búyòng dānxīn, wǒmen de húlu lǐ kěyǐ fàng yìqiān gè rén. Wǒmen kěyǐ bǎ zhège Sūn Xíngzhě fàng zài tā xiōngdì de pángbiān. Tāmen dōu huì biàn chéng yètǐ." Ránhòu tā zǒuchū shāndòng qù jiàn Sūn Wùkōng. Tā názhe húlu, dàn nà dāngrán búshì mó húlu, shì Sūn Wùkōng biàn de húlu. Tā duì hóuzi shuō: "Nǐ shì shuí, wèishénme zài zhèlǐ zhǎo máfan?"

"Wǒ shì Sūn Wùkōng, Qí Tiān Dà Shèng. Wǒ wǔbǎi nián qián chūshēng zài Huāguǒ Shān. Wǒ zài tiāngōng lǐ zhǎo le máfan, bèi guān zài shānxià hěnjiǔ. Wǒ zhǎodào le yí wèi lǎoshī, xiànzài wǒmen qù xī

时候，孙悟空走出了山洞。

孙悟空在山洞外休息了一会儿。然后他回去打门。“开门。是我，孙行者！”

“这是什么？”金角对他弟弟说。“我们已经把者行孙放进了葫芦。孙行者一定是他的兄弟。那里有几个孙？”

银角回答说：“不用担心，我们的葫芦里可以放一千个人。我们可以把这个孙行者放在他兄弟的旁边。他们都会变成液体。”然后他走出山洞去见孙悟空。他拿着葫芦，但那当然不是魔葫芦，是孙悟空变的葫芦。他对猴子说：“你是谁，为什么在这里找麻烦？”

“我是孙悟空，齐天大圣。我五百年前出生在花果山。我在天宫里找了麻烦，被关在山下很久。我找到了一位老师，现在我们去西

fāng zhǎo fó shū. Xiànzài wǒmen hé zhè zuò shānshàng de yāoguài yǒuxiē máfan. Wǒmen bùxiǎng hé nǐmen dǎ. Ràng wǒmen jìxù wǒmen de lǚtú. Wǒmen huì líkāi nǐmen, bù huì zhǎo rènhé de máfan."

"Shìde, wǒmen bù yīnggāi zhàndòu. Wǒ jiào nǐ de míngzì. Huídá wǒ, ránhòu nǐ kěyǐ líkāi."

"Hǎode. Dànshì, ránhòu wǒ jiào nǐde míngzì, nǐ bìxū huídá wǒ."

"Méiwèntí." Yāoguài shuō. Ránhòu tā dà hǎn: "Sūn Xíngzhě!"

"Shì, wǒ shì Sūn Xíngzhě," Sūn Wùkōng huídá. Yāoguài dǎkāi le húlu, dàn dāngrán shì shénme yě méi fāshēng. Yāoguài kànzhe húlu, ránhòu kànzhe Sūn Wùkōng. Sūn Wùkōng shuō: "Xiànzài wǒ jiào nǐ. Yín Jiǎo Dàwáng!" Tā kūhǎnzhe.

"Shì, wǒ shì Yín Jiǎo Dàwáng!" Yāoguài huídá. Tā mǎshàng

方找佛书。现在我们和这座山上的妖怪有些麻烦。我们不想和你们打。让我们继续我们的旅途。我们会离开你们，不会找任何的麻烦。”

“是的，我们不应该战斗。我叫你的名字。回答我，然后你可以离开。”

“好的。但是，然后我叫你的名字，你必须回答我。”

“没问题。”妖怪说。然后他大喊：“孙行者！”

“是，我是孙行者，”孙悟空回答。妖怪打开了葫芦，但当然是什么也没发生。妖怪看着葫芦，然后看着孙悟空。孙悟空说：“现在我叫你。银角大王！”他哭喊着。

“是，我是银角大王！”妖怪回答。他马上

bèi xīrù le Sūn Wùkōng xiùzi lǐ de húlu. Sūn Wùkōng xiào le, yáo le yáo húlu. Tā néng gǎnjué dào lǐmiàn de yètǐ, tā zhīdào Yín Jiǎo yǐjīng sǐ le. Tā zǒu dào shāndòng de ménkǒu, názhe húlu yáozhe tā. "Jīn Jiǎo Dàwáng!" Tā xiàng shāndòng lǐ dà hǎn. "Nǐ dìdi zài wǒ de shǒu lǐ, tā yǐjīng biàn chéng le yètǐ. Hěn kuài nǐ yě huì zài wǒ de shǒu lǐ!"

Dāng Jīn Jiǎo tīngshuō tāde xiōngdì sǐ le, tā kū le qǐlái. Zhū Bājiè tīngdào le zhège, shuō: "Yāoguài, bié kū le. Lǎo zhū huì gàosù nǐ yìxiē shìqing. Sūn Xíngzhě hé Zhě Xíng Sūn hé Sūn Wùkōng dōu shì tóngyígè rén. Tā tōu le nǐde bǎobèi, shā sǐ le nǐ de xiōngdì. Xiànzài búyào kū le, wèi wǒmen zhǔnbèi yí dùn hào chī de sùshí wǎnfàn. Wǒmen chī wǎnfàn, ránhòu wǒmen búhuì zài zhǎo nǐde máfan."

"Bǎ nà tóu zhū zuò chéng wǎnfàn!" Jīn Jiǎo hǎndào. "Wǒ xiān chī le tā, ránhòu děng wǒde dùzi bǎo le, wǒ huì hé zhège Sūn Wùkōng zhàndòu." Ránhòu tā shuō: "Bù, děngděng, xiān búyào bǎ zhū zuò chéng wǎnfàn. Wǒ bìxū xiān hé zhè zhī hóuzi

被吸入了孙悟空袖子里的葫芦。孙悟空笑了，摇了摇葫芦。他能感觉到里面的液体，他知道银角已经死了。他走到山洞的门口，拿着葫芦摇着它。“金角大王！”他向山洞里大喊。“你弟弟在我的手里，他已经变成了液体。很快你也会在我的手里！”

当金角听说他的兄弟死了，他哭了起来。猪八戒听到了这个，说：“妖怪，别哭了。老猪会告诉你一些事情。孙行者和者行孙和孙悟空都是同一个人。他偷了你的宝贝，杀死了你的兄弟。现在不要哭了，为我们准备一顿好吃的素食晚饭。我们吃晚饭，然后我们不会再找你的麻烦。”

“把那头猪做成晚饭！”金角喊道。“我先吃了他，然后等我的肚子饱了，我会和这个孙悟空战斗。”然后他说：“不，等等，先不要把猪做成晚饭。我必须先和这只猴子

dǎ." Ránhòu tā zhuǎnxiàng yígè xiǎo móguǐ, shuōdao: "Kuài gàosù wǒ, wǒmen xiànzài yǒu duōshǎo bǎobèi zài shāndòng lǐ?"

"Sān jiàn bǎobèi."

"Nǎ sān jiàn?"

"Qī xīng jiàn, bājiāo shàn hé yù huāpíng."

"Wǒ xiànzài bù xūyào huāpíng. Bǎ jiàn hé shànzi ná gěi wǒ." Móguǐ bǎ zhè liǎng jiàn bǎobèi ná gěi le Jīn Jiǎo. Tā bǎ shànzi fàng zài xiùzi lǐ, shǒu lǐ názhe jiàn. Ránhòu tā zǒuchū shāndòng, jīngguò Sūn Wùkōng. Tā zǒu jìn yígè kòngdì. Tā jiào le nàgè dìfang de měi gè móguǐ. Sānbǎi gè móguǐ lái le, tāmen dōu názhe wǔqì. Jīn Jiǎo zhuǎnshēn miànduì Sūn Wùkōng, yāoguài de hòumiàn yǒu sānbǎi gè móguǐ. Nǐ wèn, tā kànqǐlái zěnme yàng?

> *Yāoguài shēn chuān hóngsè cháng dǒupéng, xiàng huǒ yíyàng*

打。”然后他转向一个小魔鬼，说道：“快告诉我，我们现在有多少宝贝在山洞里？”

“三件宝贝。”

“哪三件？”

“七星剑，芭蕉扇和玉花瓶。”

“我现在不需要花瓶。把剑和扇子拿给我。”魔鬼把这两件宝贝拿给了金角。他把扇子放在袖子里，手里拿着剑。然后他走出山洞，经过孙悟空。他走进一个空地。他叫了那个地方的每个魔鬼。三百个魔鬼来了，他们都拿着武器。金角转身面对孙悟空，妖怪的后面有三百个魔鬼。你问，他看起来怎么样？

妖怪身穿红色长斗篷[26]，像火一样

[26] 斗篷 dǒupéng – a cape

Zài tā de shēnhòu, móguǐ jǔ qǐ le hóngsè de cháng qí

Tā zhāngdà yǎnjīng, diànguāng cóng yǎn lǐ fāchū

Tā shǒu lǐ názhe qī xīng jiàn

Tā xíngdòng kuài dé xiàng tiānshàng de yún

Tā de shēngyīn xiàng léi shēng, yáodòng dàshān

Tā shì yígè qiángdà de zhànshì, zhǔnbèi hé tiāngōng zhàndòu

Tā dàizhe xǔduō móguǐ, zhǔnbèi hé lǎo hóuzi zhàndòu.

"Nǐ zhè zhī nánkàn de húsūn!" tā hǎndào. "Nǐ shā le wǒ de dìdi hé wǒ qīn'ài de mǔqīn. Xiànzài nǐ bìxū sǐ."

"Yāoguài, nǐ cái shì zhǎosǐ de rén. Nǐ shì shuō yāoguài de shēngmìng bǐ wǒ shīfu hé wǒ péngyǒu de shēngmìng gèng jīnguì ma? Nǐ yǐwéi wǒ kěyǐ hé nǐ yìqǐ bǎ tāmen dàng wǎnfàn chī ma? Xiànzài bǎ tāmen gěi wǒ. Lìngwài, gěi wǒ yìxiē lùshàng yòng de qián. Nàyàng, wǒ kěnéng huì ràng nǐ huóxiàqù."

Jīn Jiǎo méiyǒu huídá. Tā zhǐshì xiǎng yòng zhè bǎ jiàn dǎ Sūn Wùkōng de tóu. Zhàndòu kāishǐ le. Tāmen cóng báitiān zhàndòu dào wǎnshàng. Tiān hēi le. Lóng duǒ zài tāmen de shāndòng lǐ, lǎohǔ duǒ

在他的身后，魔鬼举起了红色的长旗

他张大眼睛，电光从眼里发出

他手里拿着七星剑

他行动快得像天上的云

他的声音像雷声，摇动大山

他是一个强大的战士，准备和天宫战斗

他带着许多魔鬼，准备和老猴子战斗。

"你这只难看的猢狲！"你杀了我的弟弟和我亲爱的母亲。现在你必须死。"

"妖怪，你才是找死的人。你是说妖怪的生命比我师父和我朋友的生命更金贵吗？你以为我可以和你一起把他们当晚饭吃吗？现在把他们给我。另外，给我一些路上用的钱。那样，我可能会让你活下去。"

金角没有回答。他只是想用这把剑打孙悟空的头。战斗开始了。他们从白天战斗到晚上。天黑了。龙躲在他们的山洞里，老虎躲

现在，金角一个人在和所有的猴子战斗。

Xiànzài, Jīn Jiǎo yígè rén zài hé suǒyǒu de hóuzi zhàndòu.

Now Golden Horn was alone fighting all the monkeys.

zài sēnlín lǐ. Yígè yòng tāde jiàn, lìng yígè yòng tāde bàng, zhàndòu le hǎojǐgè xiǎoshí.

Jīn Jiǎo yuè lái yuè lèi, suǒyǐ tā jiào lái le tāde sānbǎi gè móguǐ. Móguǐ hé Sūn Wùkōng sìmiàn zhàndòu. Sūn Wùkōng yòng tāde bàng, dànshì móguǐ tài duō le. Tā hěn kuài cóng zuǒ shǒubì shàng bá le yìbǎi gēn máofǎ, dà hǎn "Biàn!" Měi yì gēn máofǎ dōu biàn chéng le lìng yígè Sūn Wùkōng. Cháng máofǎ biàn chéng le názhe Jīn Gū Bàng de dà hóuzi. Zhōngcháng máofǎ biàn chéng le yǒuzhe qiángyìng quántóu de zhōng hóuzi. Duǎn máofǎ biàn chéng le xiǎo hóuzi, tāmen zhuāzhe móguǐ de tuǐ.

Móguǐ kāishǐ shū le zhàndòu. Tāmen táozǒu le, dà hǎn: "Wǒmen dǎbùguò zhèxiē hóuzi!" Xiànzài, Jīn Jiǎo yígè rén zài hé suǒyǒu de hóuzi zhàndòu. Tā cóng xiùzi shàng náchū bājiāo shàn, xiàng Sūn Wùkōng hé yídàqún hóuzi huī qù. Tā sìzhōu de dìshàng dōu qǐ le huǒ. Nà shì yì chǎng mó huǒ, fēicháng rè, méiyǒu yān. Suǒyǒude dòngwù dōu táozǒu le, suǒyǒude niǎo dōu yīn hàipà fēizǒu le. Huǒ tài rè le, héliú biàn gàn le, dà

在森林里。一个用他的剑，另一个用他的棒，战斗了好几个小时。

金角越来越累，所以他叫来了他的三百个魔鬼。魔鬼和孙悟空四面战斗。孙悟空用他的棒，但是魔鬼太多了。他很快从左手臂上拔了一百根毛发，大喊“变！”每一根毛发都变成了另一个孙悟空。长毛发变成了拿着金箍棒的大猴子。中长毛发变成了有着强硬拳头的中猴子。短毛发变成了小猴子，他们抓着魔鬼的腿。

魔鬼开始输了战斗。他们逃走了，大喊：“我们打不过这些猴子！”现在，金角一个人在和所有的猴子战斗。他从袖子上拿出芭蕉扇，向孙悟空和一大群猴子挥去。他四周的地上都起了火。那是一场魔火，非常热，没有烟。所有的动物都逃走了，所有的鸟都因害怕飞走了。火太热了，河流变干了，大

dì biàn hóng le.

Huǒ tài rè le, shāo diào le Sūn Wùkōng shǒubì shàng de máofǎ. Huǒ shāo máofǎ de shíhòu, huǒ yě shāozhe suǒyǒu de hóuzi. Xiànzài, zhǐyǒu Sūn Wùkōng hé Jīn Jiǎo liǎng gèrén zhàn zài kòngdì shàng. Sūn Wùkōng tiào qǐlái, fēi huí shāndòng. Dànshì dāng tā dào le nàlǐ shí, tā kàndào hái yǒu yìbǎi gè xiǎo móguǐ zhàn zài dòng wài. Sūn Wùkōng xiànzài hěn shēngqì, tā yòng tāde Jīn Gū Bàng shā sǐ le měi yígè xiǎo móguǐ.

Zài shāndòng lǐ, tā kàndào le hóng guāng. "Bùhǎo!" tā shuō, "Shāndòng yě shāo qǐlái le!" Dàn tā méiyǒu shāo qǐlái. Tā zhǐshì kàndào yù huāpíng de guāng. Tā hěn kuài bǎ huāpíng fàng zài xiùzi lǐ. Jiù zài zhèshí, Jīn Jiǎo pǎo jìn shāndòng, zàicì xiǎng yòng tā de qī xīng jiàn shā sǐ Sūn Wùkōng. Tāmen liǎng gè zài shāndòng lǐ zhàndòu. Dànshì zhè cì hóuzi duì yāoguài lái shuō tài qiángdà le. Jīn Jiǎo táopǎo le.

Sūn Wùkōng zhuǎnshēn kàndào Tángsēng hé tāde péngyǒumen bèi kǔn zài shān

地变红了。

火太热了，烧掉了孙悟空手臂上的毛发。火烧毛发的时候，火也烧着所有的猴子。现在，只有孙悟空和金角两个人站在空地上。孙悟空跳起来，飞回山洞。但是当他到了那里时，他看到还有一百个小魔鬼站在洞外。孙悟空现在很生气，他用他的金箍棒杀死了每一个小魔鬼。

在山洞里，他看到了红光。“不好！”他说，“山洞也烧起来了！”但它没有烧起来。他只是看到玉花瓶的光。他很快把花瓶放在袖子里。就在这时，金角跑进山洞，再次想用他的七星剑杀死孙悟空。他们两个在山洞里战斗。但是这次猴子对妖怪来说太强大了。金角逃跑了。

孙悟空转身看到唐僧和他的朋友们被捆在山

dòng lǐ. Tā sōngkāi le tāmen. "Túdì, nǐ yìzhí zài hěn nǔlì de zuòshì!" Tángsēng shuō.

"Shìde, wǒde tuǐ hěn lèi," tā huídá. "Wǒ bǐ sòngxìn rén zǒu de lù hái yào duō, wǒ yìdiǎn'er yě méiyǒu xiūxi. Dànshì, suǒyǒude shìqing dōu hěn hǎo. Yígè yāoguài bèi guān zài húlu lǐ, biàn chéng le yètǐ. Lìng yígè yāoguài yǐjīng táozǒu le. Érqiě jīhū suǒyǒude xiǎo móguǐ dōu sǐ le. Zhè shì hěn cháng de yìtiān. Ràng wǒmen chī wǎnfàn ba!" Tāmen kàn le kàn shāndòng lǐmiàn, zhǎodào yìxiē mǐfàn, miàntiáo hé shūcài. Tāmen zuò le yí dùn búcuò de sùshí wǎnfàn, ránhòu zuò xiàlái chī wǎnfàn, hái hē le yìdiǎn jiǔ. Tángsēng dāngrán bù hē rènhé jiǔ, tā zhǐ hē shuǐ. Jiéshù hòu, tāmen zài shāndòng hòumiàn zhǎodào le jǐ zhāng chuáng, ránhòu jiù shuìjiào le.

Xiànzài nǐ kěnéng yǐwéi zhè shì gùshì de jiéshù, dàn hái méiyǒu. Jīn Jiǎo háishì hěn shēngqì. Suǒyǐ tā fēi dào le Yā Lóng

洞里。他松开了他们。“徒弟，你一直在很努力地做事！”唐僧说。

“是的，我的腿很累，”他回答。“我比送信[27]人走的路还要多，我一点儿也没有休息。但是，所有的事情都很好。一个妖怪被关在葫芦里，变成了液体。另一个妖怪已经逃走了。而且几乎所有的小魔鬼都死了。这是很长的一天。让我们吃晚饭吧！”他们看了看山洞里面，找到一些米饭，面条和蔬菜。他们做了一顿不错的素食晚饭，然后坐下来吃晚饭，还喝了一点酒。唐僧当然不喝任何酒，他只喝水。结束后，他们在山洞后面找到了几张床，然后就睡觉了。

现在你可能以为这是故事的结束，但还没有。金角还是很生气。所以他飞到了压龙

[27] 送信 sòngxìn – mail carrier

Shān, yùdào le jǐ bǎi gè nǚ móguǐ. Tā gàosù tāmen, Sūn Wùkōng shā sǐ le tā de xiōngdì hé mǔqīn. Dāng nǚ móguǐ tīngdào zhè huà shí, tāmen fēicháng shēngqì, xiǎngyào bàochóu.

Ránhòu tāde jiùjiu dào le, tāde míngzì jiào Hú Ā Qī Dàwáng. Jiùjiu tīngshuō le tā jiějiě de sǐ. Suǒyǐ tā dài lái le liǎng bǎi duō gè xiǎo móguǐ. Xiànzài tāmen yìqǐ yǒu yì zhī hěn dà de móguǐ jūnduì, tāmen dōu xiǎng zhǎo Sūn Wùkōng bàochóu.

Zǎoshang liǎng gè yāoguài hé jǐ bǎi gè xiǎo móguǐ lái dào le shāndòng. Sūn Wùkōng, Zhū Bājiè hé Shā Wùjìng zài děng tāmen. Dànshì Sūn Wùkōng biàn chéng le yígè xiǎo móguǐ. Tā hǎndào: "Jīn Jiǎo Dàwáng! Jīn Jiǎo Dàwáng!" Jīn Jiǎo yǐwéi móguǐ xūyào tāde bāngzhù, suǒyǐ tā huídále. Tā yì huídá, Sūn Wùkōng jiù dǎkāi le mó húlu, bǎ yāoguài xī le jìnqù. Dànshì jiù zài yāoguài jìn húlu zhīqián, Sūn Wùkōng zhuāzhù le yāoguài de qī xīng jiàn.

山，遇到了几百个女魔鬼。他告诉她们，孙悟空杀死了他的兄弟和母亲。当女魔鬼听到这话时，她们非常生气，想要报仇。

然后他的舅舅[28]到了，他的名字叫狐阿七大王。舅舅听说了他姐姐的死。所以他带来了两百多个小魔鬼。现在他们一起有一支很大的魔鬼军队，他们都想找孙悟空报仇。

早上两个妖怪和几百个小魔鬼来到了山洞。孙悟空、猪八戒和沙悟净在等他们。但是孙悟空变成了一个小魔鬼。他喊道："金角大王！金角大王！"金角以为魔鬼需要他的帮助，所以他回答了。他一回答，孙悟空就打开了魔葫芦，把妖怪吸了进去。但是就在妖怪进葫芦之前，孙悟空抓住了妖怪的七星剑。

---

[28] 舅舅 jiùjiu – maternal uncle

Hái fāshēng le lìngwài yìxiē zhàndòu, dàn dōu hěn kuài jiéshù le. Hú Ā Qī Dàwáng bèi shā sǐ, biàn chéng le yì zhǐ xiàng tā jiějiě yíyàng de jiǔ wěi hú. Suǒyǒu de xiǎo móguǐ dōu táozǒu le.

Xiànzài, suǒyǒu de zhàndòu zhōngyú dōu jiéshù le. Sūn Wùkōng duì Tángsēng shuō: "Shīfu, xiànzài zhè zuò shān ānquán le. Yāoguài bèi shā sǐ. Móguǐ dōu táozǒu le. Wǒmen yǒu le suǒyǒu de wǔ jiàn bǎobèi." Tángsēng tīng le hěn gāoxìng. Tāmen chī le yí dùn hěn hǎo de zǎofàn, ránhòu suǒyǒu rén yòu kāishǐ xiàng xī zǒu.

Dāng tāmen zǒulù de shíhòu, yígè lǎonián xiāzi zǒu dào tāmen shēnbiān. Tā zhuāzhù Tángsēng de mǎ, shuōdao: "Huán wǒ de bǎobèi!"

"A, búyào zài yǒu yāoguài le!" Zhū Bājiè shuō. Dànshì Sūn Wùkōng rènzhēn de kàn le nàgè xiāzi, rènchū tā shì Tài Shàng Lǎo Jūn. Tā xiàng Lǎo Jūn shēnshēn de jūgōng.

还发生了另外一些战斗，但都很快结束了。狐阿七大王被杀死，变成了一只像他姐姐一样的九尾狐。所有的小魔鬼都逃走了。

现在，所有的战斗终于都结束了。孙悟空对唐僧说："师父，现在这座山安全了。妖怪被杀死。魔鬼都逃走了。我们有了所有的五件宝贝。"唐僧听了很高兴。他们吃了一顿很好的早饭，然后所有人又开始向西走。

当他们走路的时候，一个老年瞎子[29]走到他们身边。他抓住唐僧的马，说道："还我的宝贝！"

"啊，不要再有妖怪了！"猪八戒说。但是孙悟空认真地看了那个瞎子，认出他是太上老君。他向老君深深地鞠躬。

---

[29] 瞎子　xiāzi – blind

Lǎo Jūn shuō: "Wǒ de háizi, nǐ yǒu wǔ jiàn bǎobèi. Tāmen shì wǒde. Wǒ yòng húlu fàng mó yào. Wǒ yòng yù huāpíng fàng shuǐ. Wǒ yòng qī xīng jiàn hé móguǐ zhàndòu. Wǒ yòng shànzi shàn huǒ. Huángjīn shéng shì wǒ chāng yī de dàizi. Lìngwài, wǒ bìxū gàosù nǐ, nǐ shā sǐ de liǎng gè yāoguài qíshí shì liǎng gè niánqīng dàoren. Yígè kānhù wǒde jīn huǒpén, lìng yígè kānhù wǒde yín huǒpén. Guānyīn yào wǒ bǎ zhè liǎng gè niánqīng rén gěi tā yīduàn shíjiān. Tā xiǎng kànkàn nǐ shìbúshì zhēnde xiǎngyào jìxù nǐ de xīyóu."

Sūn Wùkōng xīn xiǎng: "Guānyīn shuō tā huì bāngzhù wǒmen. Dàn kànqǐlái tā duì gěi wǒmen zhǎo máfan gèng yǒu xìngqù!" Dànshì tā méiyǒu duì Lǎo Jūn zhème shuō. Tā zhǐshì shuō: "Xiānshēng, wǒ hěn gāoxìng bǎ nǐde wǔ jiàn bǎobèi huán gěi nǐ."

Lǎo Jūn cóng Sūn Wùkōng nàlǐ názǒu le wǔ jiàn bǎobèi. Tā dǎkāi húlu, bǎ tā dàoguòlái, yètǐ cóng húlu lǐ liú dào dìshàng. Dāng tāmen dōu kànzhe shí, yètǐ biàn chéng le liǎng gè niánqīng rén. Tāmen zhàn qǐlái, yígè zhàn zài Lǎo Jūn de yòubiān, lìng

老君说：“我的孩子，你有五件宝贝。它们是我的。我用葫芦放魔药。我用玉花瓶放水。我用七星剑和魔鬼战斗。我用扇子扇火。黄金绳是我长衣的带子。另外，我必须告诉你，你杀死的两个妖怪其实是两个年轻道人。一个看护我的金火盆，另一个看护我的银火盆。观音要我把这两个年轻人给她一段时间。她想看看你是不是真的想要继续你的西游。”

孙悟空心想：“观音说她会帮助我们。但看起来她对给我们找麻烦更有兴趣！”但是他没有对老君这么说。他只是说：“先生，我很高兴把你的五件宝贝还给你。”

老君从孙悟空那里拿走了五件宝贝。他打开葫芦，把它倒过来，液体从葫芦里流到地上。当他们都看着时，液体变成了两个年轻人。他们站起来，一个站在老君的右边，另

yígè zhàn zài tā de zuǒbiān. Yí shù jīnsè de guāng cóng tiāngōng zhòng xiàlái. Lǎo Jūn hé liǎng gè niánqīng rén fēi shàng jīnguāng, jìn dào tiāngōng lǐ bújiànle.

Tángsēng, Sūn Wùkōng, Zhū Bājiè hé Shā Wùjìng kànzhe tāmen fēishàng tiān. Ránhòu, bèi duìzhe zǎoshàng de yángguāng, tāmen yòu kāishǐ xiàng xī zǒu qù.

一个站在他的左边。一束金色的光从天宫中下来。老君和两个年轻人飞上金光，进到天宫里不见了。

唐僧、孙悟空、猪八戒和沙悟净看着他们飞上天。然后，背对着早上的阳光，他们又开始向西走去。

THE FIVE TREASURES

My dear child, tonight I will tell you another story about the Monkey King.

So tonight I will tell you an interesting story about him. In this story, Sun Wukong meets two very powerful monsters, but these monsters are not who we think they are!

Our story starts with the four travelers – the monkey Sun Wukong, the monk Tangseng, the pig-man Zhu Bajie, and the strong but quiet man Sha Wujing – walking along the Silk Road in Western China.

They were walking west towards India. Winter had turned to spring, and the trees and grasses turned green.

One day the travelers arrived at a tall mountain. The mountain was so tall that they could not see the sun during the day, or the moon and stars at night. They followed the road as it turned left and right and left again. The road became a mountain path. They walked up the mountain.

An elderly woodcutter was standing in a green meadow above them. The woodcutter wore an old blue hat on his head, and a black monks' robe. In his hands he held an axe. When the woodcutter saw Tangseng and his disciples, he said, "You, who are going to the West. Please stop. I have something to tell you. There are monsters and demons in this mountain. They wait for travelers coming from the East, and they eat them!"

Tangseng heard these words and was very frightened. But Sun Wukong just laughed. He said to the woodcutter, "Elder brother, we were sent by the Tang Emperor to bring back the Buddha's books from India. That man on the white horse is my Master. He is a bit timid, so he asked me to talk with you, to learn more about these monsters. Tell me about them. Then I will tell the mountain gods and local spirits to help me capture these monsters."

"You are mad," replied the woodcutter. "Why do you think the mountain gods and local spirits will help you? How will you capture the monsters, and what will you do with them?"

"I am the Monkey King, I am the Great Sage Equal to Heaven. Of course the mountain gods and local spirits will help me. If the demons are from Heaven, I will send them to the Jade Emperor. If the demons are from Earth, I will send them to the Palace of Earth. If they are dragons, I will send them to the Lords of Oceans. If they are ghosts, I will send them to King Yama. Every kind of demon has their own home, and Old Monkey knows all of them. I will tell them and they will do as I say!"

The woodcutter laughed at these words. "Then you are a fool. I will tell you about these demons. This is Level Top Mountain. In the mountain is the Lotus Flower Cave. In the cave are two very large and powerful monsters. They have a picture on the wall of the Tang

Monk, and they are waiting for you to arrive. They will cook you and eat you!"

"How will they eat us? Starting with the head or with the feet?"

"Why do you ask?"

"If they eat my head first, I will not feel any pain. But if they start eating me at my feet first, it will take a long time and it will be very painful. I would not like that at all."

"Don't worry, monkey, these monsters will eat you in a single bite. It will be very quick! And be careful, because these monsters have five treasures that have great magical power. It does not matter if you are powerful, it will still be very difficult for you to protect the Tang Monk. You must become a little bit mad to pass this place!"

"Ah, that's very good. I am already a little bit mad. Thank you!" Sun Wukong turned and walked back to Tangseng and the others. He was very happy. "No problem, Master, the old man says there are a couple of small monsters here. Don't worry. Let's go, let's go."

Just then, the woodcutter disappeared. "That's not good," said Zhu Bajie. "We have just met a ghost in the middle of the day." Sun Wukong looked in all four directions but did not see the woodcutter. Then he looked up in the sky and saw the Sky Sentinel sitting on a cloud. He flew up and shouted, "If you had something to say, why did you change into a woodcutter? You could have just told us." The Sky Sentinel was frightened and said he was sorry, and Sun Wukong chased him away. Then he returned to the ground and started walking back to the others.

As Sun Wukong returned, he said to himself, "What should I do? If I tell Master the truth about these monsters, he will be very afraid and he might fall off his horse and hurt himself. But if I don't tell him, he might do something foolish and the monsters will kill him." He thought for a while. Then he decided to trick Zhu Bajie into going to find out more about the monsters.

Sun Wukong made some water flow from his eyes, so it looked like he was crying. Zhu saw this and became very afraid. He said, "That's it. Our journey is over. Sha, you should return to your river and become a monster again. I will return to my village and see if my wife is still there. We can sell the horse. And we can use the money to buy a coffin for Master, for his old age."

"Why are you talking like this, you stupid coolie?" asked Tangseng.

"Didn't you see Sun Wukong crying? He is a great warrior. If he is crying, he must be very afraid. And if he is afraid, what can we do?"

Tangseng said, "Stop talking like this. Wukong, why are you unhappy? And why are you showing us those tears which are not tears?"

"Master, I just spoke with the Sky Sentinel. He told me that the monsters in this mountain are extremely dangerous. I am strong, but I don't know if I can win a fight against all of them."

"Ah, that is true. As the book says, 'the few cannot win against the many.' But remember, you are not alone. You have Zhu Bajie and Sha Wujing here to help you. I will let you use them to help you."

This was exactly what Sun Wukong wanted to hear from his Master! He said to Zhu, "You must do two things. First, you must take care of our Master. Second, you must go into the mountain and look for monsters."

Zhu replied, "I don't understand, elder brother. To take care of our Master I must stay here. To look for monsters I must go out. I cannot do both!"

"Then just do one of them."

"I don't know which one to do. Tell me more about the two jobs."

"Ok. To take care of our master, you must do everything he asks. If he wants to go for a walk, go with him. If he is hungry, go and beg vegetarian food for him. If he needs to go into the woods to use the bathroom, help him do that."

"That sounds very dangerous. If I go and beg food for him, I might meet people on the road. They won't know that I am with the Tang monk. They will only see a big fat pig that is ready to be eaten. They will kill and eat me!"

"Then go into the mountain and look for monsters. Find out how many there are, and where they live."

"Ah, that is easy," said Zhu. He picked up his rake and walked off to look for monsters. As he left, Sun Wukong laughed and said to Tangseng, "You and I both know that Zhu will not look for monsters. He will walk for a little while, then he will find a nice place to rest on the ground and go to sleep. Then he will come back and tell us some stupid story. You just wait. I will follow him and see what he does."

Sun Wukong said softly, "Change!", and his body changed into a small insect. He flew towards Zhu and landed on his ear. Sure enough, Zhu found some comfortable grass, rested on it, and went to sleep. A few hours later he got up and began to walk back towards the others. He stopped walking when he saw three large flat rocks. He stood in front of the rocks. He told the three rocks a long story about finding a cave where mountain spirits lived, and looking inside the cave. When he was finished, he continued saying the story to himself as he walked towards Tangseng and the others.

But Sun Wukong flew ahead of Zhu and arrived before him. He changed back to his monkey form and said to Tangseng, "Zhu is coming. He spent the day sleeping. But then he made up a story about finding a mountain spirit cave. I heard the story. Now you just wait and you will hear it for yourself."

Soon, Zhu returned. He stood in front of Tangseng, Sun

Wukong and Sha Monk, and told the same story that he had told to the three flat rocks. "Idiot!" cried Sun Wukong, and hit Zhu with his rod. "I heard you tell this same story to the three flat rocks. You did not find a cave, you just found a nice place to sleep. Why don't you tell us the truth?"

Zhu grabbed Tangseng's robe and said, "Please, great Master, protect me from this monkey!"

Tangseng said, "Wukong, don't hit Zhu anymore. But Zhu, you must go back into the mountains again. This time, do your job!" And so Zhu went back into the mountains. He was terribly afraid but he did his job. We will talk more about him later.

Now, you remember that this mountain was called Level Top Mountain, and there was a large cave called Lotus Flower Cave. Two monsters lived there. The older one was called Great King Golden Horn and the younger one was called Great King Silver Horn. Golden Horn said to Silver Horn, "Do you know what I heard today? The Tang Emperor has sent his younger brother, the Tang monk, to find holy books in the West. He will be on the Silk Road, passing through our mountain and close to our cave. He is a very powerful holy man. His body has strong magic. If we eat him, we will live for a very, very long time. Go find him and bring him back here, so we can eat him for dinner."

So Silver Horn went out with thirty little demons to look for Tangseng. They did not find Tangseng, but they soon found Zhu walking along a mountain path. Zhu saw the monster and the little demons. He was afraid, but he used his rake to fight them.

Silver Horn laughed. "I think you became a monk when you were older. You must have been a farmer in your younger years. You have a farmer's rake!"

Zhu replied, "My child, you don't know this rake! When I use it in a fight, it brings cold wind and bright fire, it hides the sun and the moon. It catches monsters and it kills demons. It brings down Mount Tai. Tigers and dragons run away when they see it. You may be powerful, but when you meet this rake, I will see your blood!"

The monster had a weapon also, it was the sword of seven stars. He raised the sword and ran towards Zhu, and the two of them fought for a long time. Zhu was beginning to win the fight, but then the thirty little demons came to help the monster. Zhu could not fight them all. He fell to the ground, the demons grabbed his arms and legs, and they carried him back to Lotus Flower Cave.

Silver Horn shouted, "Elder brother, look what we have! We caught the Tang monk!"

The older monster, Great King Golden Horn, looked at Zhu. He said, "Younger brother, this is not the Tang monk. This one is just a large pig. He is useless."

"Yes, I am useless!" said Zhu. "You should let me go."

"No," said the younger monster. "He was traveling with the Tang Monk. We should keep him. Put him in the pool of water in the back of the cave. Keep him in the water for a few days, then remove his skin, then put him in the sun and let him dry. Later, we can eat him for lunch, with some wine."

"All right," said Golden Horn. So he told his little demons to tie up Zhu and throw him into the water.

Meanwhile, Tangseng was becoming worried because Zhu had not returned. He said, "This region is dangerous. It has very few people, it's not like a village or town. Where will we meet him?"

"Don't worry, Master," replied Sun Wukong. "Just make your horse walk a little faster, and we will catch up to him."

Tangseng got on his horse and started walking quickly down the mountain path. He did not know it, but Golden Horn was watching him from a few miles away. "Here comes the Tang monk!" he said to his little demons, and he pointed his finger at the monk. Immediately Tangseng's body trembled, but he did not know why. Silver Horn looked in the same direction, pointed at Tangseng, and said "Is that him?" Tangseng trembled again.

"Why am I trembling like this?" he asked the others.

"I think you are not feeling well," said Sha Wujing, "That's why you are feeling cold and shaking."

"I think you are just afraid," said Sun Wukong. "Let me show you something to make you feel better." He took out his Golden Hoop Rod and began exercising with it. He moved the rod up and down, then left and right, then in a circle. He pushed it forward and pulled it backward. He was very graceful and strong.

Sun Wukong did this exercise because he wanted to make Tangseng less afraid. But when Silver Horn saw Sun Wukong's exercises with the Golden Hoop Rod, he became very, very afraid. "Look at that monkey and his rod," he said to the little demons. "He is too powerful. He can fight and win against ten thousand of us. And we only have a few hundred soldiers. We cannot fight against this monkey!"

One of the little demons replied, "If we cannot fight the monkey, should we just release the pig?"

"No, said Silver Horn, "we have to use a different method. All of you, go back to the cave. I will capture the Tang monk by myself."

The little demons all returned to Lotus Flower Cave. The monster changed into an old Daoist monk. Now he had white hair, a blue silk gown, and yellow shoes. His leg was covered with blood, and he lay behind a large rock near the mountain path. He cried, "Save me! Save me!"

Tangseng arrived on his horse, with Sun Wukong and Sha Wujing. He heard the monk crying. He said, "Who is here?"

The monk crawled out from behind the big rock, onto the mountain path. He kowtowed again and again. Tangseng got off his horse and grabbed the monk's arm, saying "Please, grandfather, get up!" Then Tangseng saw the blood on the monk's leg. He asked, "What happened to you? Why is your leg hurt?"

"Last night I was walking home with my disciple, when we met a large tiger on the mountain path. The tiger grabbed my disciple and dragged him away. I ran away as fast as I could, but I fell on some rocks and hurt my leg. Thank you, Master, for helping me today!"

Tangseng said, "Of course we will help you. Wukong, put this man on your back and carry him. We will take him back to his temple."

Sun Wukong picked up the monk and began to carry him on his back. But he said quietly, "I know you are not a monk. You are a monster. The Tang monk thinks your words are true, but I have lived for a long time and I don't believe you at all. I think you want to kill my Master and eat him. But if you do, you should give me half!"

"I am no monster!" said the monster. "I am a poor Daoist monk who met a tiger on the road today."

Sun Wukong replied, "My Master is a kind man, but sometimes he is also foolish. He believes what he sees with his eyes. He does not see what is inside you. But I see inside you and I know what you are. You are no monk."

The monkey carried the monk for several miles, but then he started to walk more slowly. Soon Tangseng and Sha Wujing were far ahead of them. When Sun Wukong could not see Tangseng and Sha, he decided to kill the monk. But the monk knew what Sun Wukong was planning. Before Sun Wukong could kill him, he flew up into the sky an made a magic sign with his hand. Mount Meru lifted up into the air and came down on Sun Wukong's head. Sun Wukong moved his head to the right side, and the mountain came down on his left shoulder. He laughed and said, "What kind of magic is this? I feel a bit lopsided." The monster made another magic sign, and Mount Emei lifted up into the air and came down on Sun Wukong's right shoulder. "Thanks," said Sun Wukong. "I feel much better now." And carrying two huge mountains on his shoulders, he began to run towards Tangseng and Sha Monk.

The monster saw this and said to himself, "This monkey is very strong. But I am stronger!" Then the monster made another magic sign, and Mount Tai, the largest mountain in China, lifted up and came down on Sun Wukong's head. This was too much for Sun Wukong. He fell to the ground. Blood came out of his ears, eyes, nose and mouth.

The monster left Sun Wukong trapped under the three mountains, and caught up to Tangseng and Sha Monk. Sha Wujing tried to fight, but the monster was too strong. The monster picked up Tangseng, Sha, the horse and the luggage, and carried all of them back to Lotus Flower Cave.

But when he arrived at the cave, his older brother was not happy. "Where is Sun Wukong?" he asked. "If we eat the monk and the other two disciples, that monkey will be very angry. He will come here, and he will make life very difficult for us."

"Don't worry, elder brother. The monkey is trapped under three very large mountains. One of them is Mount Tai. He cannot move."

"Ok, that's good. But let's be safe. Capture him and bring him here." Then the older monster told two of his demons to go and capture Sun Wukong. "Take two of my treasures," he said. "Take the gourd of purple gold and the jade vase. Go and find Sun Wukong. When you find him, call his name. When he answers, open the gourd. The monkey will be sucked inside the gourd. Close the gourd and bring him back here."

Sun Wukong was trapped under the three mountains. He was badly hurt, and he was unhappy because he could not help the Tang monk and his friends. He cried loudly. His cries were heard by the mountain god, the local spirit, and the Golden Headed Guardian. The Golden Headed Guardian said to the other two, "Ah, this is very bad. Do you know who is trapped under your mountains? It is Sun Wukong, the Great Sage Equal to Heaven. He caused great trouble in heaven five hundred years ago. Now he is a disciple of the Tang monk. You have allowed a monster to trap him under three mountains. When he escapes he will be very angry, and he will probably kill both of you."

"We did not know!" cried the mountain god and the local spirit. "We just did our job. We heard someone say the magic words for moving mountains, so we moved them. That's all. We didn't know the mountains would land on the Great Sage Equal to Heaven."

Now the mountain god and the local spirit were both very afraid. They walked up to the three mountains and shouted, "Great Sage! The mountain god, the local spirit, and the Golden Headed Guardian have come to help you. We ask you to let us move the mountains away, so you can come out. We are very sorry. Please pardon us!"

Sun Wukong replied, "Just move the mountains. I won't hurt you." The mountain god and the local spirit said magic words, and the three mountains lifted up and moved back to where they belonged. Sun Wukong jumped up. He lifted his face to the sky, and said in a loud voice, "O Heaven! All my life, ever since I was born on Flower Fruit Mountain, I searched for a teacher to help me learn the secret of long life. I can kill tigers, I can fight dragons, I can cause trouble in Heaven, and I was named Great Sage Equal to Heaven. But I have never seen anything like this before. I cannot move three mountains like this monster did. This monster talks to the mountain god and the local spirit as if they were coolies! O Heaven, if you gave birth to Old Monkey, why did you give birth to these monsters also?"

Sun Wukong waited but did not hear an answer from Heaven. But far away, he saw two lights. He asked the mountain god what the lights were. The god replied, "They are treasures of the two monsters, Golden Horn and Silver Horn."

"Good!" said Sun Wukong. "I think I will visit them in their cave. Tell me, what kind of people do they like to visit with?"

"They enjoy sitting and drinking tea with Daoist monks," the god replied. The mountain god and the local spirit left. Sun Wukong changed into an old Daoist monk. Now he wore an old robe and held a wooden fish in his hand. He sat down at the side of the mountain path and waited.

Soon the two demons who were sent to capture Sun Wukong arrived. They saw the old Daoist monk. Their master liked to visit with Daoist monks, so the two demons stopped, bowed, and greeted him.

"Hello my two young friends," said the monkey who looked like a monk. "I am an immortal from Penglai Mountain. I have come here to help people become immortals. Would you like to become immortal?"

When the two demons heard this, they became very excited. "Of course!" they both said.

"Good. Tell me who you are and what you are doing today."

One of the demons replied, "Our master is Great King Golden Horn. He has powerful magic. His younger brother Great King Silver Horn lifted three huge mountains and dropped them on the old monkey Sun Wukong. Now the monkey is trapped under the mountains. Our master sent us to put the monkey into this gourd."

"How will you do that?"

"I will call him by his name. When he replies, I will open the gourd. He will be sucked into the gourd. I will then close the gourd and he will be trapped inside. In one and three quarters hours, he will turn into liquid."

"Very nice!" said the monk. "I have something just like it." Sun Wukong pulled a hair from his head, said "Change!" and the hair turned into a gourd just like the one that the two demons had. He said to the demons, "Do you like it?"

"Well, it's very nice, but it doesn't have any magic. Our gourd has powerful magic. We can put a thousand people inside it."

"That's interesting. But my gourd is even more powerful than yours. I can store Heaven itself inside it! Sometimes Heaven makes me angry. When that happens, I store Heaven inside the gourd for a while, then I let it go again."

One of the demons laughed and said, "That is very powerful magic indeed! If what you say is true, we would like to trade gourds with you. But first, you must show us your gourd's magic."

"All right," said the monk, "but when we trade, you must also give me the jade vase." The demons agreed, because they wanted to become immortal. "Wait here for a minute," he said. Then he quickly flew up to Heaven and went to the palace of the Jade Emperor. "O Emperor, I am traveling with the Tang monk to acquire holy books in the West. Our path is blocked by some powerful monsters. I need their magic gourd. To do that, I must show them that I can capture Heaven in my own gourd. So, I need to borrow Heaven for about a half hour. Do this for me. If you don't, I will start a war in Heaven!"

The Jade Emperor became angry and was about to say no. But Third Prince Nezha said to him, "Your Majesty, I know this monkey is very difficult and has caused trouble in Heaven. But he is a disciple of the Tang monk, and we we must help the monk. I have an idea. We can cover heaven with a large black banner. People on earth won't be able to see the sun, the moon, or the stars. They will think that the monkey has indeed stored Heaven in his gourd."

The Jade Emperor nodded his head and turned to Sun Wukong. "All right. We will do this, not to help you but to help the Tang monk."

Sun Wukong flew back down to earth and changed back into a Daoist monk. He said to the two demons, "All right. Here we go. Watch this." Then he threw the gourd up in the air. Prince Nezha saw this and covered Heaven with a black banner. The sun, moon and stars all disappeared. The sky turned black, and darkness covered the earth.

The demons were terrified. "Stop it, stop it!" they cried. The monk said some magic words. Nezha heard him. He rolled up the black banner, and the sun appeared in the sky again. The two demons were shaking. They gave their gourd and the jade vase to the monk. The monk gave his gourd to the demons and he walked away quickly. The two demons tried to use the gourd but of course it did not have any magic because it was just an ordinary gourd. Sun Wukong was on a cloud in the sky watching this and laughing. Then he changed the gourd back into a hair and put the hair back on his head. Now the demons had nothing – no gourd, no vase, and no Sun Wukong.

They returned to the cave and told Great King Golden Horn and Great King Silver Horn what happened. The two monsters were angry at the Daoist monk, but they did not know that the monk was really Sun Wukong. Golden Horn said to his younger brother, "We need a different method to capture this monkey. Let's use our other three treasures. I have the sword of seven stars, and I have the palm leaf fan. The other treasure is the yellow gold rope. Our mother has that treasure. Let's ask her to come visit us at our cave and bring the rope with her. We can use the three treasures to capture the monkey."

The monsters called two more little demons. They told the demons to go to the home of their mother to invite her to the cave. But Sun Wukong had turned into a small insect and heard every word that they said. He followed the two little demons for two or three miles. Then he flew ahead of them and changed into a little demon wearing a tiger skin. He ran up to the two demons and said, "Hey you! Wait for me!"

"Who are you?" asked one of the little demons. "We have never seen you before."

"I also work for the Great King Golden Horn and Great King Silver Horn. They want their mother to visit them right away. They thought that the two of you would walk too slowly. So they sent me to make sure you moved quickly. Now start running!" The two demons believed him. So the three of them ran down the mountain path. As soon as they got close to the mother's house, Sun Wukong changed back to his original form, took out his Golden Hoop Rod, and hit them both on the head, killing them. Then he changed himself to look like one of the demons, and he used one of his hairs to look like the other demon. Then the two of them walked up to the mother's house.

The demon knocked on the door. When the mother came to the door, he bowed low to her. He said, "I come from Lotus Flower Cave. Your two sons told me to come here. They invite you to come to their cave to eat the flesh of the Tang monk. They also ask you to bring the yellow-gold rope, because they need it to catch the monkey Sun Wukong."

The mother was happy to hear this. She came out and got into her sedan chair. The two Sun Wukong demons picked up the sedan chair and carried her along the mountain path for a few miles. Then when they were far away from the house, Sun Wukong hit the mother on the head with his Golden Hoop Rod. The mother died instantly. After she died, her body changed into its true form, a nine-tailed fox. Sun Wukong picked up the yellow-gold rope and put it in his sleeve. Now he had three of the five treasures.

He changed his form so that now he looked like the mother. He pulled another hair from his head and changed it into the other little demon. Then the two little demons carried the mother on the sedan chair, but of course all three of them were really Sun Wukong!

Soon they arrived at the cave. The old woman got out of the sedan chair and walked slowly into the cave. She sat down, facing south. Great King Golden Horn and Great King Silver Horn kowtowed to her, saying, "Mother, your children bow to you."

"My sons, please rise," said the mother.

Now, remember that Zhu Bajie was also in the cave, along with Sha Wujing and Tangseng. Zhu was tied up and sitting in a pool of water. When the mother turned around, Zhu saw that she had a monkey's tail. Zhu laughed loudly. "It's Sun Wukong!" he said to Sha

Wujing.

"Be quiet," said Sha. "Let's see what Old Monkey will do."

The old mother said, "My dear sons, why did you ask me to come here today?"

Golden Horn replied, "Dear mother, we asked you to come and eat the flesh of the Tang monk with us. We will cook him and eat him for dinner."

"Well, I am not really hungry for monk. But I really would like to taste some pork. Let's eat that large pig over there. We can start with his ears, I hear they are very tasty."

When Zhu heard this, he cried out, "So, you came here to taste my ears, eh? I should tell these monsters who you really are!"

Both monsters heard this. They looked at Zhu, then they looked at each other, then they looked at their mother. They both jumped up. But just then, a little demon ran into the cave, saying "Disaster, disaster! Sun Wukong has killed your mother, and changed his form so that he looks just like her. There he is!" Silver Horn immediately picked up his sword of seven stars and prepared to fight with Sun Wukong. But Golden Horn held up his hand to stop him. "You cannot win this fight, younger brother. He is very powerful. Let him go. And let the others go also."

Silver Horn said, "What? Are you afraid of them? I am not afraid. Let's do this: I will fight this monkey for three rounds. If I win, we will eat the Tang monk for dinner, and eat the others tomorrow. If I lose, we will let them all go. All right?" Golden Horn agreed, and Silver Horn went to put on his armor and prepare for the fight. Sun Wukong changed back to his true form and waited for him, smiling.

"Old monkey!" Silver Horn shouted at Sun Wukong. "Give us our mother and our treasures. I will let you and the others go. You can go to the west with no more trouble from us." Of course, he knew that Sun Wukong would not like these words.

Sun Wukong just laughed at him. "You foolish monster, Old Monkey will not let you go so easily. Give me my master, my friends, the white horse, and our luggage. Also, give us some travel money. If I hear even half a 'no' from you, it will be the end of your life. You should just hang yourself with the yellow-gold rope and save me the trouble of killing you."

Silver Horn and Sun Wukong both jumped up into the clouds and began to fight. It was the biggest fight of Sun Wukong's life. It was like two tigers fighting on the mountain, two dragons fighting over the ocean. They used a thousand different methods of fighting. One used the Golden Hoop Rod, the other used the sword of seven stars. They fought all day and all night. They fought for thirty rounds, but neither one was the winner.

Finally, Sun Wukong took out the yellow-gold rope and threw it around Silver Horn. But Silver Horn knew the loose-rope spell. He said the words, and the rope fell off him. Then Silver Horn grabbed the rope and threw it around Sun Wukong. Sun Wukong tried to use the loose-rope spell, but Silver Horn was faster, he used the tight-rope spell. The rope became tight around Sun Wukong. The monkey could not move. The monster pulled the gourd and the vase out from Sun Wukong's sleeve. Then he took the monkey back to the cave.

When they returned to the cave, Silver Horn told some little demons to tie Sun Wukong to a pillar. Then he went into another room to drink wine and talk with his older brother. As soon as the monster was gone, Sun Wukong shook his head. His Golden Hoop Rod fell out of his ear and into his hand. He blew on it, and the rod changed into a diamond knife. He used the knife to cut the yellow-gold rope. Then he pulled another hair from his head, blew on it, and it changed into another monkey just like himself. He tied up the second monkey with the yellow-gold rope. Then he changed himself so he looked like a little demon.

Zhu Bajie was still in the pool of water. He saw all this. He shouted loudly to the monsters, "Bad news, bad news! The monkey that is tied up is not the real monkey. The real monkey has escaped!"

"What is he yelling about?" asked Golden Horn, holding his cup of red wine.

"That fat pig is just trying to cause trouble," said the little demon who was Sun Wukong. "He wants the monkey to try to escape, but the monkey will not do it. That's why the pig is shouting. But we must be careful. The monkey might be able to escape. Let's use a bigger rope to hold him to the pillar."

"You're right," said the monster. He took off his heavy belt and gave it to the little demon. "Use this."

The little demon tied the belt around the form of the monkey. Then he quickly blew on one of his hairs and made a second yellow-gold rope, tied it around the monkey, and put the real yellow-gold rope in his sleeve. Golden Horn had been drinking a lot of wine, so he did not see this.

The real Sun Wukong, still using the form of a little demon, ran out of the cave. He changed back into his monkey form and shouted, "Hey, you in there! I am Sun Grimpil, the brother of Pilgrim Sun. I am here to make some trouble for you!"

Silver Horn came to the door and said, "I have your brother. He is tied up in my cave. I think you want to fight with me, but I will not fight you. I will call your name. Are you afraid to answer me?"

"Call my name a thousand times, I am not afraid to answer," Sun Wukong replied. But he was afraid. He knew that if he said his real name, he would be trapped inside the magic gourd. But he did not know what would happen if he used "Sun Grimpil" instead of his real name.

The monster shouted, "Sun Grimpil!" Sun Wukong replied, "I am Sun Grimpil!" Instantly he was pulled into the gourd. The monster closed the gourd, and Sun Wukong was trapped inside. He tried to get out but he could not move. This was a magic gourd. Anyone trapped in it would be turned to liquid in one and three quarters hours. Sun Wukong's body was as hard as diamond, so he was not turned into liquid. But he was still trapped inside.

The two monsters were very happy because they had caught Sun Grimpil. "Let's wait a couple of hours," said one of them, "then we will shake the gourd. If we feel liquid moving around inside, we know the monkey is dead."

Sun Wukong was thinking. He needed to make the monsters think that he was dead and turned to liquid. What could he do? He could make a lot of urine, but that would smell bad and make his clothes dirty. He decided to use spit. So he began spitting again and again, filling up half of the gourd with saliva. Then he cried out, "Ah, no! My legs have turned to liquid. My arms have turned to liquid. My belly has turned to liquid. I fear my head will be liquid soon!" And then he changed into a tiny insect and landed on the mouth of the gourd.

Golden Horn opened the gourd. Instantly, Sun Wukong flew out of the gourd, leaving behind a pool of saliva. Then he changed from an insect to a little demon. He stood and watched as the two monsters laughed and drank wine, thinking that they had killed Sun Grimpil. When they were not looking, Sun Wukong put the magic gourd in his sleeve, and put a second, non-magic gourd in its place. As the monsters continued to laugh and drink, Sun Wukong walked out of the cave.

Sun Wukong rested for a while outside the cave. Then he went back and banged on the door. "Open this door. It is me, Pilgrim Sun!"

"What is this?" said Golden Horn to his younger brother. "We already have Sun Grimpil in our gourd. Pilgrim Sun must be his brother. How many Suns are there?"

Silver Horn replied, "Don't worry, we have room in the gourd for a thousand people. We can just put this Pilgrim Sun inside, next to his brother. They will both turn to liquid." Then he walked out of the cave to meet Sun Wukong. He carried a gourd, but of course it was not the magic gourd, it was the gourd that Sun Wukong had made. He said to the monkey, "Who are you, and why are you causing trouble here?"

"I am Sun Wukong, the Great Sage Equal to Heaven. I was born on Flower Fruit Mountain five hundred years ago. I caused trouble in Heaven, and was trapped under a mountain for a long time. I found a teacher and now we are traveling to the West to find Buddhist scripture. Now we have a little bit of trouble with some monsters on this mountain. We do not want to fight you. Let us continue our journey. We will leave you and not cause any trouble."

"Yes, we should not fight. I will call your name. Answer me, and then you can leave."

"All right. But then I will call your name, and you must answer me."

"That's fine," said the monster. Then he shouted, "Pilgrim Sun!"

"Yes, I am Pilgrim Sun," replied Sun Wukong. The monster opened his gourd, but of course nothing happened. The monster looked at the gourd, then he looked at Sun Wukong. Then Sun Wukong said, "Now I will call you. Great King Silver Horn!" he cried.

"Yes, I am Great King Silver Horn!" replied the monster. Instantly he was sucked into the gourd that was in Sun Wukong's sleeve. Sun Wukong laughed and shook the gourd. He could feel the liquid inside, and he knew that Silver Horn was dead. He walked to the door of the cave, holding the gourd and shaking it. "Great King Golden Horn!" he shouted into the cave. "I have your younger brother, he has turned to liquid. Soon I will have you too!"

When Golden Horn heard that his brother was dead, he began to cry. Zhu Bajie heard this, and he said, "Monster, don't cry. Old Pig will tell you something. Pilgrim Sun and Sun Grimpil and Sun Wukong are all the same person. He stole your treasures, and he killed your brother. Now stop crying and prepare a nice vegetarian dinner for us. We will eat dinner and then we will leave you alone."

"Cook that pig!" shouted Golden Horn. "I will eat him first, then when my belly is full, I will fight this Sun Wukong." Then he said, "No, wait, don't cook the pig yet. I have to fight this monkey first." Then he turned to one of the little demons and said, "Tell me quickly. How many treasures do we have in the cave right now?"

"Three treasures."

"Which three?"

"The sword of seven stars, the palm leaf fan, and the jade vase."

"I don't need the vase right now. Bring me the sword and the fan." The demon brought the two treasures to Golden Horn. He put the fan in his sleeve and he held the sword in his hand. Then he walked out of the cave, right past Sun Wukong. He walked into a clearing. He called every demon in the region. Three hundred demons came, all carrying weapons. Golden Horn turned and faced Sun Wukong, with the three hundred demons behind him. How did he look, you ask?

The monster wore a long red cape, it looked like fire
Behind him, the demons held up a long red banner
His eyes were open wide, lightning flashed from them
In his hand was the sword of seven stars
He moved quickly like a cloud in the sky
His voice was like thunder, shaking the mountains

He was a great warrior, ready to fight Heaven itself
Leading many demons, he was ready to fight Old Monkey.

"You ugly ape!" he shouted. "You killed my younger brother and my dear mother. Now you must die."

"Monster, you are the one asking to die. Are you saying that the life of a monster is worth more than the lives of my Master and my friends? Do you think I would be ok with you eating them for dinner? Give them to me now. Also, give me some money for our journey. Then I might let you live."

Golden Horn did not answer. He just tried to hit Sun Wukong's head with this sword. The fight began. They fought until day turned into night. The sky grew dark. Dragons hid in their caves, tigers hid in the forest. One using his sword and the other using his rod, the two great ones fought for many hours.

Golden Horn was becoming tired, so he called his three hundred demons. The demons fought Sun Wukong on all four sides. Sun Wukong used his rod, but there were just too many demons. Quickly he pulled a hundred hairs from his left arm, shouted "Change!", and each one became another copy of Sun Wukong. The long hairs became big monkeys with Golden Hoop Rods. The medium hairs became medium size monkeys with powerful fists. The short hairs became small monkeys who grabbed the demons by the legs.

The demons began to lose the fight. They ran away,

shouting, "We can't fight all these monkeys!" Now Golden Horn was alone fighting all the monkeys. He pulled the palm leaf fan from his sleeve and waved it towards Sun Wukong and the army of monkeys. Fire came up from the ground all around him. It was a magic fire, very hot, with no smoke. All the animals ran away from it, all the birds flew away in fear. The fire was so hot that rivers became dry and the earth turned red.

The fire was so hot that it burned the hairs on Sun Wukong's arms. When the hairs burned, all the monkeys burned also. Now Sun Wukong and Golden Horn stood alone in the clearing. Sun Wukong jumped up and flew back to the cave. But when he arrived there he saw a hundred more little demons standing outside the cave. Sun Wukong was angry now, he used his Golden Hoop Rod to kill every one of the little demons.

Inside the cave, he saw a red light. "Oh, no!" he said, "the cave is on fire too!" But it was not on fire. He was just seeing the light from the jade vase. Quickly he put the vase in his sleeve. Just then, Golden Horn ran into the cave and tried again to kill Sun Wukong with his seven star sword. The two of them fought inside the cave. But this time the monkey was too powerful for the monster. Golden Horn ran away.

Sun Wukong turned and saw Tangseng and his friends tied up in the cave. He untied them. "Disciple, you have been working very hard!" said Tangseng.

"Yes, my legs are tired," he replied. "I have been walking

more than a mail carrier, no rest for me at all. But everything is good. One monster is trapped inside the gourd and turned to liquid. The other monster has run away. And most of the little demons are dead. It's been a very long day. Let's have some dinner!" They looked around the cave and found some rice, noodles and vegetables. They cooked a nice vegetarian dinner, then they sat down and ate it with a little bit of wine. Tangseng, of course, did not drink any wine, he only drank water. When they were finished, they found some beds in the back of the cave and went to sleep.

Now you may think that is the end of the story, but it is not. Golden Horn was still angry. So he flew away to Crush Dragon Mountain and met several hundred female demons. He told them that Sun Wukong killed his brother and his mother. When the female demons heard this they were very angry and wanted revenge.

Then his maternal uncle arrived, his name was Great King Fox Number Seven. The uncle had heard about the death of his sister. So he came with two hundred more little demons. Together they now had a large army of demons, and they all wanted revenge on Sun Wukong.

The two monsters and the hundreds of little demons arrived at the cave in the morning. Sun Wukong, Zhu Bajie and Sha Wujing were waiting for them. But Sun Wukong changed into the form of a little demon. He called out, "Great King Golden Horn! Great King Golden Horn!" Golden Horn thought the demon needed his help, so he replied. As soon as he did, Sun

Wukong opened his magic gourd and sucked the monster inside. But just before the monster went inside the gourd, Sun Wukong grabbed the monster's sword of seven stars.

There was some more fighting, but it was over quickly. Great King Fox Number Seven was killed, and turned into a nine-tailed fox just like his sister. All the little demons ran away.

Now, finally, all the fighting was over. Sun Wukong said to Tangseng, "Master, the mountain is safe now. The monsters have been killed. The demons have run away. And we have all five of the treasures." Tangseng was happy to hear this. They had a good breakfast, then they all began walking west again.

As they walked, an old blind man came up to them. He grabbed Tangseng's horse and said, "Give me back my treasures!"

"Ah, not more monsters!" said Zhu Bajie. But Sun Wukong looked carefully at the blind man and recognized that he was the great Daoist saint Laozi. He bowed deeply to Laozi.

Laozi said, "My child, you have five treasures. They are mine. I use the gourd to store magic elixir. I use the jade vase to store my water. I use the sword of seven stars to fight demons. I use the fan to tend my fire. And the yellow-gold rope is the belt of my gown. Also, I must tell you that the two monsters that you killed are really two

Daoist youths. One tends my golden brazier and the other tends my silver brazier. Guanyin asked me to give the youths to her for a short time. She wanted to see if you really want to continue your journey to the west."

Sun Wukong thought to himself, "This Guanyin said she would help us. But it looks like she is more interested in causing trouble for us!" But he did not say this to Laozi. He just said, "Sir, I am happy to return your five treasure to you."

Laozi took the five treasures from Sun Wukong. He opened the gourd, turned it upside down, and liquid flowed from the gourd onto the ground. As they all watched, the liquid changed into two young men. They stood up, one standing on Laozi's right side, the other on his left side. A beam of golden light came down from Heaven. Laozi and the two youths flew up the golden light and disappeared into Heaven.

Tangseng, Sun Wukong, Zhu Bajie and Sha Wujing watched them fly up into the sky. Then, with the morning sun at their backs, they began walking west again.

PROPER NOUNS

These are all the Chinese proper nouns used in this book.

Chinese	Pinyin	English
地宫	Dìgōng	Palace of Earth
峨眉山	Éméi Shān	Mt. Emei
观音	Guānyīn	Guanyin (a name)
海王	Hǎi Wáng	Lord of the Oceans
狐阿七大王	Hú Ā Qī Dàwáng	Great King Fox Number Seven (a name)
花果山	Huāguǒ Shān	Flower Fruit Mountain
金箍棒	Jīn Gū Bàng	Golden Hoop Rod
金角大王	Jīn Jiǎo Dàwáng	Great King Golden Horn (a name)
金头侍卫	Jīntóu Shìwèi	Golden Headed Guardian (a name)
老君	Lǎo Jūn	Laozi (a name)
莲花洞	Liánhuā Dòng	Lotus Flower Cave
美猴王	Měi Hóu Wáng	Handsome Monkey King (another name for Sun Wukong)
蓬莱山	Pénglái Shān	Mt. Penglai
平顶山	Píng Dǐng Shān	Level Top Mountain
齐天大圣	Qí Tiān Dà Shèng	Great Sage Equal to Heaven (another name for Sun Wukong)
日值	Rì Zhí	Sky Sentinel (a name)
三王子哪吒	Sān Wángzǐ Nǎzhà	Third Prince Nezha (a name)
沙（悟净）	Shā (Wùjìng)	Sha Wujing (a name, "Sand Seeking Purity")
丝绸之路	Sīchóu Zhī Lù	Silk Road
孙悟空	Sūn Wùkōng	Sun Wukong (a name, "Ape Seeking the Void")
孙行者	Sūn Xíng Xhě	Pilgrim Sun (another name for Sun Wukong)
泰山	Tài Shān	Mount Tai

唐僧	Tángsēng	Tangseng (a name, "Tang Monk")
須彌山	Xūmí Shān	Mt. Meru or Mt. Sumeru
压龙山	Yā Lóng Shān	Crush Dragon Mountain
阎王	Yán Wáng	Yama, Lord of the Underworld (a name)
银角大王	Yín Jiǎo Dàwáng	Great King Silver Horn (a name)
印度	Yìndù	India
玉皇大帝	Yùhuáng Dàdì	Jade Emperor (a name)
者行孙	Zhě Xíng Sūn	Sun Grimpil (Pilgrim Sun spelled backwards)
中国	Zhōngguó	China
猪（八戒）	Zhū (Bājiè)	Zhu Bajie (a name, "Pig of Eight Prohibitions")
猪（悟能）	Zhū (Wùnéng)	Zhu Wuneng (another name for Zhu Bajie, "Pig Awaken to Power")

GLOSSARY

These are all the Chinese words (other than proper nouns) used in this book.

A blank in the "First Used" column means that the word is part of our standard 1200 word vocabulary, which is the 600 words of HSK3 plus all the words that we introduced in Books 1 through 6 of this series. A number indicates a new word that was introduced in Book 7 or later, and which book in the series it is introduced.

Chinese	Pinyin	English	First Used
啊	a	ah, oh, what	
爱	ài	love	
爱上	ài shàng	to fall in love	
暗	àn	darkness	7
安静	ānjìng	quietly	
安全	ānquán	safety	
吧	ba	(particle indicating assumption or suggestion)	
拔	bá	to pull	
把	bǎ	(preposition introducing the object of a verb)	
把	bǎ	to bring, to get, to have it done	
把	bǎ	to hold	
把	bǎ	(measure word)	
八	bā	eight	
爸爸	bàba	father	
白	bái	white	
百	bǎi	one hundred	
芭蕉扇	bājiāo shàn	palm-leaf fan	12
白天	báitiān	day, daytime	
半	bàn	half	
搬(动)	bān (dòng)	to move	
办法	bànfǎ	method	
棒	bàng	rod	
绑	bǎng	to tie up	11
帮(助)	bāng (zhù)	to help	
半夜	bànyè	midnight	
饱	bǎo	full	
包	bāo	package, to wrap	
抱(住)	bào (zhù)	to hold, to carry	
报仇	bàochóu	revenge	

保护	bǎohù	to protect	
宝贝	bǎobèi	treasure	12
宝石	bǎoshí	gem	
宝塔	bǎotǎ	pagoda	11
包子	bāozi	steamed bun	11
宝座	bǎozuò	throne	
耙子	bàzi	rake	8
被	bèi	(passive particle)	
被	bèi	was being	
倍	bèi	times	9
北	běi	north	
被迫	bèi pò	to be forced	
杯(子)	bēi (zi)	cup	
笨	bèn	stupid	
本	běn	(measure word)	
本(来)	běn (lái)	originally	
臂	bì	arm	8
比	bǐ	compared to, than	
笔	bǐ	pen	
闭(上)	bì (shàng)	to shut, to close up	
避(开)	bì (kāi)	to avoid	
变	biàn	to change	
边	biān	side	
鞭	biān	whip	10
变出	biàn chū	to create, to generate	
变回	biàn huí	to change back	
变成	biànchéng	to become	
边界	biānjiè	boundary	
别	bié	do not	
别人	biérén	others	
病	bìng	disease	
冰	bīng	ice	

陛下	bìxià	Your Majesty	
必须	bìxū	must, have to	
鼻子	bízi	nose	7
脖子	bózi	neck	9
不	bù	no, not, do not	
簿	bù	ledger book	
不好	bù hǎo	not good	
不会	bú huì	cannot	
不会吧	bú huì ba	no way	
不可能	bù kěnéng	impossible	
不一样	bù yíyàng	different	
不早	bù zǎo	not early	
不久	bùjiǔ	not long ago, soon	
不能	bùnéng	can not	
不是	búshì	no	
不死	bùsǐ	not die (immortal)	
不同	bùtóng	different	
不想	bùxiǎng	do not want to	
不要	búyào	don't want	
不用	búyòng	no need to	
才	cái	only	
菜	cài	dish	
才会	cái huì	will only	
财富	cáifù	wealth	
彩虹	cǎihóng	rainbow	
才能	cáinéng	ability, talent	
猜拳	cāiquán	guess fist (a game)	10
参加	cānjiā	to participate	
蚕丝	cánsī	silk	
草	cǎo	grass	
草地	cǎodì	grassland	
层	céng	(measure word)	

厕所	cèsuǒ	bathroom	12
茶	chá	tea	
插	chā	to insert	
叉	chā	fork	
禅	chán	Zen Buddhism	8
长	cháng	long	
唱	chàng	to sing	
场	chǎng	(measure word)	
常常	chángcháng	often	
唱歌	chànggē	singing	
长生	chángshēng	longevity	
长生不老	chángshēng bùlǎo	immortality (long life no die)	
唱着	chàngzhe	singing	
巢	cháo	nest	8
沉	chén	to sink	
乘	chéng	to multiply	11
成	chéng	to make	
城(市)	chéng (shì)	city	
成(为)	chéng (wéi)	to become	
惩罚	chéngfá	punishment	
成绩	chéngjì	achievement	
成熟	chéngshú	ripe	10
丞相	chéngxiàng	prime minister	
称赞	chēngzàn	to flatter	10
尺	chǐ	Chinese foot	
池	chí	pool, pond	12
吃(饭)	chī (fàn)	to eat	
吃掉	chīdiào	to eat up	
吃惊	chījīng	to be surprised	9
耻辱	chǐrǔ	shame	11
吃着	chīzhe	eating	
虫子	chóngzi	insect(s)	

仇	chóu	hatred	
丑	chǒu	ugly	
出	chū	out	
船	chuán	boat	
穿	chuān	to wear	
传	chuán	to pass on, transmit	11
穿上	chuān shàng	to put on	
床	chuáng	bed	
窗	chuāng	window	
船工	chuángōng	boatman	
创造	chuàngzào	to create	
穿着	chuānzhuó	wearing	
出城	chūchéng	out of town	
厨房	chúfáng	kitchen	
吹	chuī	to blow	
吹起	chuī qǐ	to blow up	
出来	chūlái	to come out	
除了	chúle	except	
春(天)	chūn (tiān)	spring	
出去	Chūqù	to go out	
出生	Chūshēng	born	
出现	Chūxiàn	to appear	
次	Cì	next in a sequence	
次	cì	(measure word)	
从	cóng	from	
聪明	cōngming	clever	
聪明多了	cōngming duōle	smart enough	
从头到脚	cóngtóudàojiǎo	from head to foot	
粗	cū	broad, thick	
寸	cùn	Chinese inch	
村	cūn	village	
错	cuò	wrong	

大	dà	big	
打	dǎ	to hit, to play	
大打	dà dǎ	big fight	
大地	dà dì	the earth	
大喊	dà hǎn	to shout	
打坏	dǎ huài	to hit badly, to bash	
大叫	dà jiào	to shout	
大圣	dà shèng	great saint	
大宴	dà yàn	banquet	
打败	dǎbài	to defeat	
大臣	dàchén	minister, court official	
大帝	dàdì	emperor	
打斗	dǎdòu	fight	
大风	dàfēng	strong wind	
大海	dàhǎi	ocean	
大会	dàhuì	general assembly	
带	dài	band	
带	dài	to carry	
带回	dài huí	to bring back	
带上	dài shàng	bring with	
带走	dài zǒu	to take away	
带(到)	dài (dào)	to bring	
带路	dàilù	lead the way	
带着	dàizhe	bringing	
戴着	dàizhe	wearing	
大家	dàjiā	everyone	
大将	dàjiàng	general, high ranking officer	
打开	dǎkāi	to open up	
大门	dàmén	front door	
蛋	dàn	egg	
丹	dān	pill or tablet	
但(是)	dàn (shì)	but, however	

当	dāng	when	
当然	dāngrán	of course	
担心	dānxīn	to worry	
到	dào	to arrive	
到	dào	to, until	
道	dào	way, path, Daoism	
道	dào	(measure word)	
道	dào	to say	
倒	dǎo	to fall	
刀	dāo	knife	
倒下	dǎo xià	to fall down	
到家	dàojiā	arrive home	
大人	dàrén	adult	
大声	dàshēng	loud	
大师	dàshī	grandmaster	
打算	dǎsuàn	to intend	
大王	dàwáng	king	
大仙	dàxiān	High Immortal	
大字	dàzì	big letters	
地	de	(adverbial particle)	
得	de	(particle after verb)	
的	de	of	
得	dé	(degree or possibility)	
得	dé	(posessive)	
的时侯	de shíhòu	while	
得(到)	dé (dào)	to get	
的话	dehuà	if	
等(着)	děng (zhe)	to wait	
等到	děngdào	to wait until	
灯笼	dēnglóng	lantern	9
地	dì	ground, earth	
帝	dì	emperor	

第	dì	(prefix before a number)	
低	dī	low	
第二	dì èr	second	
第一	dì yī	first	
点	diǎn	point, hour	
店主	diànzhǔ	innkeeper, shopkeeper	
吊	diào	to hang	12
貂鼠	diāo shǔ	mink	8
钓(鱼)	diào (yú)	to fish	
弟弟	dìdi	younger brother	
地方	dìfang	local, place	
顶	dǐng	top	
地球	dìqiú	earth	
地上	dìshàng	on the ground	
低头	dītóu	head down	
地狱	dìyù	hell, underworld	
动	dòng	to move	
洞	dòng	cave, hole	
东	dōng	east	
冬天	dōngtiān	winter	
动物	dòngwù	animal	
东西	dōngxi	thing	
都	dōu	all	
斗篷	dǒupéng	a cape	12
读(道)	dú (dào)	to read	
段	duàn	(measure word)	
锻炼	duànliàn	to exercise	
对	duì	towards	
对	duì	true, correct	
对骂	duì mà	to scold each other	
对…来说	duì ... lái shuō	to or for someone	
对不起	duìbùqǐ	I am sorry	

对着	duìzhe	toward	
朵	duǒ	(measure word for flowers)	8
多	duō	many	
多长	duō cháng	how long?	
多久	duō jiǔ	how long?	
多么	duōme	how	
多少	duō shǎo	how many?	
读书人	dúshūrén	student, scholar	
读着	dúzhe	reading	
肚子	dùzi	belly	
饿	è	hungry	
二	èr	two	
而是	ér shì	instead	
耳(朵)	ěr (duo)	ear	
而且	érqiě	and	
儿子	érzi	son	
发	fà	hair	
发出	fāchū	to send out	
发抖	fādǒu	to tremble or shiver	12
法官	fǎguān	judge	
发光	fāguāng	glowing	
饭	fàn	rice	
翻	fān	to churn	8
反对	fǎnduì	oppose	
犯法	fànfǎ	criminal	8
放	fàng	to put, to let out	
方	fāng	direction	
放回	fàng huí	to put back	
房(间)	fáng (jiān)	room	
房(子)	fang (zi)	house	
放弃	fàngqì	to give up, surrender	
放下	fàngxià	to put down	

方向	fāngxiàng	direction	
放心	fàngxīn	rest assured	
方丈	fāngzhàng	abbot	
饭碗	fànwǎn	rice bowl	
发现	fāxiàn	to find	
发着	fāzhe	emitting	
飞	fēi	to fly	
飞到	fēi dào	to fly towards	
非常	fēicháng	very much	
飞过	fēiguò	to fly over	
份	fèn	(measure word)	
分	fēn	minute	
风	fēng	wind	
疯	fēng	mad	12
粉红色	fěnhóngsè	pink	
佛	fó	Buddha (title)	
佛语	fó yǔ	"Buddha's verse", the Heart Sutra	8
佛法	fófǎ	Buddha's teachings	
佛祖	fózǔ	Buddhist teacher	
妇人	fù rén	a lady	9
附近	fùjìn	nearby	
斧头	fǔtóu	ax	
干	gān	dry, to dry	10
敢	gǎn	to dare	
感(到)	gǎn (dào)	to feel	
赶	gǎn	to chase away	12
刚(才)	gāng (cái)	just, just a moment ago	
钢	gāng	steel	
钢做的	gāng zuò de	made of steel	
干净	gānjìng	clean	
感觉	gǎnjué	to feel	

感谢	gǎnxiè	to thank	
高	gāo	tall, high	
告诉	gàosu	to tell	
高兴	gāoxìng	happy	
个	gè	(measure word)	
歌	gē	song	
哥哥	gēge	older brother	
给	gěi	to give	
根	gēn	(measure word)	
根	gēn	root	
跟	gēn	with	
跟	gēn	to follow	
更	gēng	watch (2-hour period)	
更(多)	gèng (duō)	more	
个子	gèzi	height, build (human)	11
宫(殿)	gong (diàn)	palace	
弓箭	gōngjiàn	bow and arrow	
工人	gōngrén	worker	
公主	gōngzhǔ	princess	11
工作	gōngzuò	work, job	
股	gǔ	(measure word)	
骨(头)	gǔ (tóu)	bone	9
箍	gū	ring or hoop	
寡不可敌	guǎ bùkě dí zhòng	few cannot win over many	12
拐杖	guǎizhàng	staff or crutch	
关	guān	to turn off	
棺材	guāncai	coffin	
光	guāng	light	
光明殿	guāng míng diàn	hall of light, the third eye focus in meditation	9
关心	guānxīn	concern	
关于	guānyú	about	

跪	guì	kneel	
贵	guì	expensive	
鬼(怪)	guǐ (guài)	ghost	
贵重	guìzhòng	precious	
过	guò	(after verb, indicates past tense)	
过	guò	past, to pass	
果	guǒ	fruit	
国(家)	guó (jiā)	country	
过来	guòlái	come	
过去	guòqù	to pass by	
果树	guǒshù	fruit tree	
国王	guówáng	king	
锅子	guōzi	pot	
故事	gùshì	story	
还	hái	still, also	
海	hǎi	ocean	
还有	hái yǒu	also have	
海边	hǎibiān	seaside	
害怕	hàipà	afraid	
还是	háishì	still is	
海中	hǎizhōng	in the sea	
孩子	háizi	child	
喊(叫)	hǎn (jiào)	to shout	
行	háng	row or line	
喊叫着	hǎnjiàozhe	shouting	
喊着	hǎnzhe	shouting	
好	hǎo	good	
好吧	hǎo ba	ok	
好吃	hào chī	delicious	
好几天	hǎo jǐ tiān	a few days	
好了	hǎo le	all right	

好看	hǎokàn	good looking	
好像	hǎoxiàng	like	
和	hé	and, with	
河	hé	river	
鹤	hè	crane	
喝(着)	hē (zhe)	to drink	
和…比	hé ... bǐ	compare wtih	
黑	hēi	black	
嘿	hēi	hey!	11
很	hěn	very	
很多	hěnduō	a lot of	
很久	hěnjiǔ	long time	
和平	hépíng	peace	
和尚	héshang	monk	
喝着	hēzhe	drinking	
红(色)	hóng (sè)	red	
后	hòu	after, back, behind	
猴(子)	hóu (zi)	monkey	
后来	hòulái	later	
后门	hòumén	back door	
后面	hòumiàn	behind	
护	hù	to take care of	11
画	huà	to paint	
话	huà	word, speak	
化	huà	to melt	10
花	huā	flower	
划掉	huà diào	to cross out	
坏	huài	bad	
怀孕	huáiyùn	pregnant	
画家	huàjiā	painter	
换	huàn	to exchange	
还给	huán gěi	to give back	

黄(色)	huáng (sè)	yellow	
皇帝	huángdì	emperor	
欢迎	huānyíng	welcome	
花园	huāyuán	garden	
回	huí	back	
会	huì	to be able	
会	huì	to meet	
会	huì	will	
慧	huì	intelligent	
挥	huī	to swat	
回到	huí dào	to come back	
回家	huí jiā	to return home	
回答	huídá	to reply	
毁坏	huǐhuài	to smash, to destroy	
回来	huílái	to come back	
回去	huíqù	to go back	
葫芦	húlu	gourd	9
活	huó	to live	
火	huǒ	fire	
或(者)	huò (zhě)	or	
火炬	huǒjù	torch	
火盆	huǒpén	brazier	
火焰	huǒyàn	flame	
活着	huózhe	alive	
猢狲	húsūn	ape	
胡子	húzi	moustache	
极	jí	extremely	
几	jǐ	several	
鸡	jī	chicken	
记(住)	jì (zhù)	to remember	
加	jiā	plus	
家	jiā	family, home	

件	jiàn	(measure word)	
剑	jiàn	sword	
见(面)	jiàn (miàn)	to see, to meet	
检查	jiǎnchá	examination	
简单	jiǎndān	simple	
讲	jiǎng	to speak	
讲课	jiǎngkè	lecture	
见过	jiànguò	seen it	
叫	jiào	to call, to yell	
脚	jiǎo	foot	
脚指	jiǎo zhǐ	toe	
轿子	jiàozi	sedan chair	12
教(会)	jiāo (huì)	to teach	
叫做	jiàozuò	called	
级别	jíbié	level or rank	
继承	jìchéng	to inherit	9
记得	jìdé	to remember	
节	jié	festival	
借	jiè	to borrow	
接	jiē	to meet	
街道	jiēdào	street	
结婚	jiéhūn	to marry	
解决	jiějué	to solve, settle, resolve	
姐妹	jiěmèi	sisters	
节日	jiérì	festival	
介绍	jièshào	Introduction	
结束	jiéshù	end, finish	
几乎	Jīhū	almost	
季节	jìjié	season	
进	jìn	to enter	
紧	jǐn	tight, close	
金(子)	jīn (zi)	gold	

今晚	jīn wǎn	tonight	
金钢套	jīn gāng tào	gold steel armlet	
进进出出	jìn jìn chū chū	go in and out	
筋斗云	jīndǒu yún	cloud somersault	
井	jǐng	well	7
精	jīng	spirit	
经	jīng	through	
经常	jīngcháng	often	
经过	jīngguò	after, through	
经历	jīnglì	experience	
进来	jìnlái	to come in	
今天	jīntiān	today	
金星	jīnxīng	Venus	
就	jiù	just, right now	
旧	jiù	old	
久	jiǔ	long	
九	jiǔ	nine	
酒	jiǔ	wine, liquor	
救	jiù	to save, to rescue	
就会	jiù huì	will be	
舅舅	jiùjiu	maternal uncle	12
就要	jiù yào	about to, going to	
就这样	jiù zhèyàng	that's it, in this way	
酒店	jiǔdiàn	hotel	
就是	jiùshì	just is	
继续	jìxù	to continue	
纪元	jìyuán	era, epoch	
举	jǔ	to lift	
觉得	juédé	to feel	
决定	juédìng	to decide	
觉悟	juéwù	enlightenment	
鞠躬	jūgōng	to bow down	

咀嚼	jǔjué	to chew	
军队	jūnduì	army	
举行	jǔxíng	to hold	
句子	jùzi	sentence	
开	kāi	to open	
开门	kāimén	open the door	
开始	kāishǐ	to start	
开心	kāixīn	happy	
开着	kāizhe	being open	
砍	kǎn	to cut	
看(着)	kàn (zhe)	to look	
看不见	kàn bújiàn	look but can't see	
看到	kàndào	to see	
看见	kànjiàn	to see	
看了看	kànlekàn	to take a look	
看起来	kànqǐlái	looks like	
烤	kǎo	to bake	
考试	kǎoshì	examination	
渴	kě	thirsty	
棵	kē	(measure word)	
颗	kē	(measure word)	
可爱	kě'ài	lovely, cute	
可能	kěnéng	maybe	
可怕	kěpà	frightening	
客人	kèrén	guests	
磕头	kētóu	to kowtow	8
可以	kěyǐ	can	
空	kōng	air, void, emptiness	
口	kǒu	(measure word)	
口	kǒu	mouth	
库	kù	warehouse	
哭声	kū shēng	a crying sound	

哭(着)	kū (zhe)	to cry	
块	kuài	(measure word)	
快	kuài	fast	
快乐	kuàilè	happy	
快要	kuàiyào	coming soon	
宽	kuān	width	
盔甲	kuījiǎ	armor	
苦力	kǔlì	coolie, unskilled laborer	8
捆	kǔn	bundle	8
捆住	kǔn zhù	to tie up	
哭着	kūzhe	crying	
拉	lā	to pull down	
来	lái	to come	
来到	lái dào	came	
来说	lái shuō	for example	
来自	láizì	from	
蓝	lán	blue	
狼	láng	wolf	7
栏杆	lángān	railing	
老	lǎo	old	
老虎	lǎohǔ	tiger	
老话	lǎohuà	old saying	
老师	lǎoshī	teacher	
老死	lǎosǐ	die of old age	
了	le	(indicates completion)	
乐	lè	fun	
雷电	lédiàn	lightning	
累	lèi	tired	
泪	lèi	tears	12
雷声	léi shēng	thunder	
冷	lěng	cold	
离	lí	from	

立	lì	stand	
里	lǐ	Chinese mile	
里（面）	lǐ（miàn）	inside	
连	lián	to connect	
脸	liǎn	face	
连在一起	lián zài yīqǐ	connected together	
亮	liàng	bright	
两	liǎng	two	
练习	liànxí	to exercise	
厉害	lìhài	amazing	
厉害	lìhài	powerful	
离婚	líhūn	divorce	8
离开	líkāi	to go away	
另	lìng	another	
灵魂	línghún	soul	
邻居	línjū	neighbor	
六	liù	six	
柳	liǔ	willow	10
留（下）	liú (xià)	to stay	
流（向）	liú (xiàng)	to flow	
留（下）	liú (xià)	to keep, to leave behind, to remain	
礼物	lǐwù	gift	
龙	lóng	dragon	
龙王	lóngwáng	dragon king	
笼子	lóngzi	cage	11
楼	lóu	floor	
路	lù	road	
鹿	lù	deer	
绿	lǜ	green	
轮	lún	wheel	
路上	lùshàng	on the road	

旅途	lǚtú	journey	
吗	ma	(indicates a question)	
骂	mà	to scold	
马	mǎ	horse	
麻烦	máfan	trouble	
卖	mài	to sell	
买	mǎi	to buy	
妈妈	māma	mother	
慢	màn	slow	
忙	máng	busy	
满意	mǎnyì	satisfy	
猫	māo	cat	
帽(子)	mào (zi)	hat	
毛笔	máobǐ	writing brush	
毛发	máofà	hair	
马上	mǎshàng	immediately	
马桶	mǎtǒng	chamber pot	8
没	méi	not	
每	měi	every	
美	měi	handsome, beautiful	
没问题	méi wèntí	no problem	
每一家	měi yījiā	every family	
没关系	méiguānxì	it's ok, no problem	
美好	měihǎo	beautiful	
美丽	měilì	beautiful	
媒人	méirén	matchmaker	8
没事	méishì	nothing, no problem	
每天	měitiān	every day	
没有	méiyǒu	don't have	
没有用	méiyǒu yòng	useless	
们	men	(indicates plural)	
门	mén	door	

梦	mèng	dream	
米	mǐ	rice	
面	miàn	side	
面对面	miànduìmiàn	face to face	
面前	miànqián	in front	
庙	miào	temple	
灭	miè	to put out (a fire)	7
米饭	mǐfàn	cooked rice	
秘密	mìmì	secret	
明	míng	bright	
名(字)	míng (zì)	name	
明白	míngbai	to understand	
明天	míngtiān	tomorrow	
墨	mò	ink	
魔(法)	mó (fǎ)	magic	
魔鬼	móguǐ	devil	
木(头)	mù (tou)	wood	
母猪	mǔ zhū	a sow	8
木板	mùbǎn	plank, board	
拿	ná	to take	
那	nà	that	
拿出	ná chū	to take out	
那次	nà cì	that time	
拿到	ná dào	taken	
拿开	ná kāi	to take away	
拿来	ná lái	to bring	
拿起	ná qǐ	to pick up	
拿起来	ná qǐlái	pick up	
那时候	nà shíhòu	at that time	
拿下	ná xià	remove	
拿走	ná zǒu	take away	
哪(儿)	nǎ ('er)	where?	

那个	nàgè	that one	
奶奶	nǎinai	grandmother	
那里	nàlǐ	there	
哪里	nǎlǐ	where?	
那么	nàme	so then	
南	nán	south	
男	nán	male	
难	nán	difficult	
南瓜	nánguā	pumpkin	
难过	nánguò	to be sad or sorry	
男孩	nánhái	boy	
男人	nánrén	man	
那些	nàxiē	those	
那样	nàyàng	that way	
拿着	názhe	holding it	
呢	ne	(indicates question)	
那天	nèitiān	that day	
能	néng	can	
你	nǐ	you	
你好	nǐ hǎo	hello	
年	nián	year	
念	niàn	read	
念佛	niànfó	to practice Buddhism	
年纪	niánjì	age	
年龄	niánlíng	age	
年轻	niánqīng	young	
尿	niào	urine	
鸟	niǎo	bird	
您	nín	you (respectful)	
牛	niú	cow	
农夫	nóngfū	farmer	12
怒	nù	angry	

女	nǚ	female	
女儿	nǚ'ér	daughter	
噢	Ō	oh? oh!	11
爬	pá	to climb	
怕	pà	afraid	
拍	pāi	to smack	
拍手	pāishǒu	to clap hands	
牌子	páizi	sign	
胖	pàng	fat	
旁边	pángbiān	next to	
盘子	pánzi	plate	
泡	pào	bubble	
跑	pǎo	to run	
盆	pén	pot	
棚屋	péng wū	hut, shack	
朋友	péngyǒu	friend	
皮	pí	leather, skin	
匹	pǐ	(measure word)	
骗	piàn	to trick	12
漂	piāo	to drift	
漂亮	piàoliang	beautiful	
屁股	pìgu	butt, rear end	7
瓶(子)	píng (zi)	bottle	
瀑布	pùbù	waterfall	
仆人	púrén	servant	
菩萨	púsà	bodhisattva, buddha	
葡萄酒	pútáojiǔ	wine	
普通	pǔtōng	ordinary	
其	qí	its	
棋	qí	chess	
骑	qí	to ride	
气	qì	gas, air, breath	

起	qǐ	from, up	
七	qī	seven	
前	qián	in front	
钱	qián	money	
千	qiān	thousand	
千山万水	qiān shān wàn shuǐ	thousands of miles	
前一天	qián yītiān	the day before	
墙	qiáng	wall	7
强大	qiángdà	powerful	
强盗	qiángdào	bandit	
前面	qiánmiàn	in front	
桥	qiáo	bridge	
起床	qǐchuáng	to get up	
旗杆	qígān	flagpole	
奇怪	qíguài	strange	
起来	qǐlái	(after verb, indicates start of an action)	
起来	qǐlái	to stand up	
亲爱	qīn'ài	dear	
请	qǐng	please	
轻	qīng	lightly	
轻风	qīng fēng	soft breeze	
轻声	qīng shēng	speak softly	
清楚	qīngchǔ	clear	
情况	qíngkuàng	situation	
青蛙	qīngwā	frog	7
请问	qǐngwèn	excuse me	
亲戚	qīnqi	relative(s)	9
其实	qíshí	in fact	
其他	qítā	other	
球	qiú	ball	
秋（天）	qiū (tiān)	autumn	

旗子	qízi	flag	
妻子	qīzi	wife	
去	qù	to go	
取	qǔ	to take	10
圈	quān	a circle	12
去过	qùguò	have been to	
群	qún	group or cluster	
去年	qùnián	last year	
让	ràng	to let, to cause	
然后	ránhòu	then	
热	rè	hot	
人	rén	person, people	
认出	rèn chū	recognize	
扔	rēng	to throw	
任何	rènhé	any	7
人间	rénjiān	human world	
人们	rénmen	people	
人参	rénshēn	ginseng	10
认识, 认得	rènshì, rèndé	to know someone	
认为	rènwéi	to believe	
认真	rènzhēn	serious	
容易	róngyì	easy	
荣誉	róngyù	honor	
肉	ròu	meat	
入	rù	into	
如果	rúguǒ	if, in case	
伞	sǎn	umbrella	8
三	sān	three	
卅	sānshí	thirty (ancient word)	
色	sè	(indicates color)	
僧(人)	sēng (rén)	monk	
森林	sēnlín	forest	

杀	shā	to kill	
扇	shàn	(measure word for a door)	8
山	shān	mountain	
山脚下	shān jiǎoxià	at the foot of the mountain	
山顶	shāndǐng	mountaintop	
山洞	shāndòng	cave	
上	shàng	on, up	
伤到	shāng dào	to hurt	
上一次	shàng yīcì	last time	
商店	shāngdiàn	store	
伤害	shānghài	to hurt	
上课	shàngkè	go to class	
上面	shàngmiàn	above	
上去	shàngqù	to go up	
上山	shàngshān	up the mountain	
上天	shàngtiān	heaven	
伤心	shāngxīn	sad	
山上	shānshàng	on mountain	
少	shǎo	less	
烧	shāo	to burn	
蛇	shé	snake	
深	shēn	deep	
神(仙)	shén (xiān)	spirit, god	
身边	shēnbiān	around	
圣	shèng	sage	
圣僧	shèng sēng	holy monk, Bodhisattva	9
声(音)	shēng (yīn)	sound	
生病	shēngbìng	sick	
生活	shēnghuó	life, to live	
生命	shēngmìng	life	
生气	shēngqì	angry	
圣人	shèngrén	saint, holy sage	

生日	shēngrì	birthday	
圣僧	shèngsēng	senior monk	
生物	shēngwù	animal, creature	
绳子	shéngzi	rope	
什么	shénme	what?	
神奇	shénqí	magic	
身上	shēnshang	on one's body	
身体	shēntǐ	body	
神仙	shénxiān	immortal	
十	shí	ten	
时	shí	time	
试	shì	to taste, to try	
诗	shī	poetry	
是(的)	shì (de)	yes	
事(情_	shì (qíng)	thing	
石(头)	shí (tou)	stone	
食(物)	shí (wù)	food	
是不是	shì búshì	is or is not?	
时来时去	shí lái shí qù	come and go	
试试	shì shì	to try	
十万	shí wàn	one hundred thousand	
石箱	shí xiāng	stone box	
师父	shīfu	master	
诗歌	shīgē	poetry	
时候	shíhòu	time, moment, period	
时间	shíjiān	time, period	
世界	shìjiè	world	
尸体	shītǐ	corpse	
侍卫	shìwèi	guard	
誓愿	shìyuàn	vow	11
狮子	shīzi	lion	10
瘦	shòu	thin	

手	shǒu	hand	
首	shǒu	(measure word)	
手中	shǒu zhōng	in hand	
手帕	shǒupà	handkerchief	8
受伤	shòushāng	injured	
手指	shǒuzhǐ	finger	
束	shù	bundle	
树	shù	tree	
数	shù	to count	10
书	shū	book	
输	shū	to lose	
双	shuāng	(measure word)	
双	shuāng	a pair	
霜	shuāng	frost	
舒服	shūfu	comfortable	
谁	shuí	who	
睡	shuì	to sleep	
水	shuǐ	water	
睡不着	shuì bùzháo	can't sleep	
水果	shuǐguǒ	fruit	
睡觉	shuìjiào	to go to bed	
睡着	shuìzháo	asleep	
睡着	shuìzhe	sleeping	
树林	shùlín	forest	
树木	shùmù	trees	
说(话)	shuō (huà)	to speak	
说不出话	shuō bu chū huà	speechless	
说完	shuō wán	finish telling	
说过	shuōguò	said	
舒适	shūshì	comfortable	
四	sì	four	
寺	sì	temple	

死	sǐ	dead	
丝	sī	silk thread	
思	sī	to think	
丝绸	sīchóu	silk sheets	9
死去	sǐqù	die	
死去的	sǐqù de	dead	
四周	sìzhōu	around	
松	sōng	loose	11
送(给)	sòng (gěi)	to give a gift	
送信	sòngxìn	mail carrier	12
素	sù	vegetable	
宿	sù	constellation	11
碎	suì	to break up	8
岁	suì	years of age	
虽然	suīrán	although	
锁	suǒ	to lock	7
所以	suǒyǐ	so, therefore	
所有	suǒyǒu	all	
塔	tǎ	tower	
他	tā	he, him	
她	tā	she, her	
它	tā	it	
抬	tái	to lift	
太	tài	too	
太多	tài duō	too much	
抬头	táitóu	to look up	
太阳	tàiyáng	sunlight	
他们	tāmen	they (male)	
她们	tāmen	they (female)	
谈	tán	to talk	
弹	tán	to bounce	8
滩	tān	(measure word)	12

糖	táng	sugar	
汤	tāng	soup	
套	tào	armlet, loop	
桃(子)	táo (zi)	peach	
逃跑	táopǎo	to escape	
淘气	táoqì	naughty	
特别	tèbié	special	
剃	tì	to shave	
甜	tián	sweet	
舔	tiǎn	to lick	
天	tiān	day, sky	
天法	tiān fǎ	heaven's law	
天地	tiāndì	heaven and earth	
天宫	tiāngōng	palace of heaven	
天气	tiānqì	weather	
天上	tiānshàng	heaven	
天下	tiānxià	under heaven	
条	tiáo	(measure word)	
跳	tiào	to jump	
跳起来	tiào qǐlái	to jump up	
跳入	tiào rù	to jump in	
跳出	tiàochū	to jump out	
跳舞	tiàowǔ	to dance	
跳着	tiàozhe	dancing	
铁	tiě	iron	
铁桥	tiě qiáo	iron bridge	
听	tīng	to listen	
听到	tīng dào	heard	
听说	tīng shuō	it is said that	
同	tóng	same	
铜	tóng	copper	
痛	tòng	pain	

铜水	tóng shuǐ	liquid copper	
痛苦	tòngkǔ	suffering	
同意	tóngyì	to agree	
偷	tōu	steal	11
头	tóu	head	
头发	tóufǎ	hair	
吐	tǔ	to spit out	
土	tǔ	dirt	
徒弟	túdì	apprentice	
土地	tǔdì	land	
土地神	tǔdì shén	local earth spirit	
推	tuī	to push	
拖	tuō	to drag	
脱	tuō	to remove (clothing)	
突然	túrán	suddenly	
外	wài	outside	
外公	wàigōng	maternal grandfather	
外面	wàimiàn	outside	
完	wán	to finish	
玩	wán	to play	
万	wàn	ten thousand	
晚	wǎn	late, night	
碗	wǎn	bowl	
弯	wān	to bend	
晚些时候	wǎn xiē shíhòu	later	
晚安	wǎn'ān	good night	
完成	wánchéng	to complete	
晚春	wǎnchūn	late spring	
弯刀	wāndāo	scimitar, machete	
晚饭	wǎnfàn	dinner	
王	wáng	king	
往	wǎng	to	

网	wǎng	net, network	
忘(记)	wàng (jì)	to forget	
王后	wánghòu	queen	
晚上	wǎnshàng	evening	
玩着	wánzhe	playing	
为	wèi	for	
位	wèi	(measure word)	
喂	wèi	to feed	
尾巴	wěibā	tail	
未来	wèilái	future	
为了	wèile	in order to	
为什么	wèishénme	why	
危险	wēixiǎn	danger	
问	wèn	to ask	
闻(到)	wén (dào)	smell	
文书	wénshū	written document	
问题	wèntí	question, problem	
我	wǒ	I, me	
我的	wǒ de	mine	
我们	wǒmen	we, us	
悟	wù	understanding	
五	wǔ	five	
舞	wǔ	to dance	
无法无天	wúfǎwútiān	lawless	
巫婆	wūpó	witch	7
武器	wǔqì	weapon	
无用	wúyòng	useless	
西	xi	west	
洗	xǐ	to wash	
吸	xī	to suck, to absorb	
溪	xī	stream	
下	xià	down, under	

下棋	xià qí	play chess	
下雨	xià yǔ	rain	
下来	xiàlái	down	
下面	xiàmiàn	underneath	
仙	xiān	immortal, celestial being	
（是）	xiān (shi)	first	
像	xiàng	like	
像	xiàng	to resemble	
向	xiàng	towards	
想	xiǎng	to want, to miss, to think of	
箱	xiāng	box	
香	xiāng	fragrant (adj), incense (n)	
想（着）	xiǎng (zhe)	to miss, to think	
向下抓	xiàng xià zhuā	to grab downward	
想要	xiǎngyào	to want	
乡村	xiāngcūn	rural	
想到	xiǎngdào	to think	
想法	xiǎngfǎ	thought	7
想起	xiǎngqǐ	to recall	
向上	xiàngshàng	upwards	
相信	xiāngxìn	to believe, to trust	
鲜花	xiānhuā	fresh flowers	
仙女	xiānnǚ	fairy, female immortal	
先生	xiānshēng	mister	
现在	xiànzài	just now	
笑	xiào	to laugh	
小	xiǎo	small	
小的时候	xiǎo de shíhòu	when was young	
小名	xiǎo míng	nickname	
小孩	xiǎohái	child	
小河	xiǎohé	small river	
笑了起来	xiàole qǐlái	laughed	

小时	xiǎoshí	hour	
小偷	xiǎotōu	thief	10
小心	xiǎoxīn	to be careful	
笑着	xiàozhe	smiling	
小字	xiǎozì	small print	
夏天	xiàtiān	summer	
下午	xiàwǔ	afternoon	
瞎子	xiāzi	blind	12
谢	xiè	to thank	
写	xiě	to write	
些	xiē	some	
鞋(子)	xié (zi)	shoe	
谢谢	xièxiè	thank you	
写着	xiězhe	written	
喜欢	xǐhuan	to like	
信	xìn	letter	
心	xīn	heart	
新	xīn	new	
新来的	xīn lái de	newcomer	
行	xíng	to travel	
行	xíng	capable	
姓	xìng	surname	
星	xīng	star	
醒(来)	xǐng (lái)	to wake up	
幸福	xìngfú	happy	
行李	xínglǐ	baggage	
星期	xīngqí	week	
兴趣	xìngqù	interest	
性子	xìngzi	temper	
心跳	xīntiào	heartbeat	
心愿	xīnyuàn	wish	
熊	xióng	bear	

胸	xiōng	chest	
兄弟	xiōngdì	brother	
绣	xiù	embroidered	
休息	xiūxi	to rest	
袖子	xiùzi	sleeve	10
希望	xīwàng	to hope	
洗澡	xǐzǎo	to bathe	
选	xuǎn	to select	
悬崖	xuányá	cliff	8
许多	xǔduō	many	
雪	xuě	snow	
血	xuè, xuě	blood	
学(习)	xué (xí)	to learn	
学会	xuéhuì	to learn	
学生	xuéshēng	student	
学校	xuéxiào	school	
学着	xuézhe	learning	
需要	xūyào	to need	
牙	yá	tooth	
沿	yán	along	
烟	yān	smoke	7
羊	yáng	sheep	
阳	yáng	masculine principle in Taoism	9
养	yǎng	to support	
养育	yǎngyù	nurture	
样子	yàngzi	to look like, appearance	
宴会	yànhuì	banquet	
眼睛	yǎnjīng	eye(s)	
颜色	yánsè	color	
药	yào	medicine	
要	yào	to want	

咬	yǎo	to bite, to sting	
腰	yāo	waist, small of back	
摇	yáo	to shake or twist	12
妖仙	yāo xiān	immortal demon	
要饭	yàofàn	to beg	
妖怪	yāoguài	monster	
要求	yāoqiú	to request	
钥匙	yàoshi	key	8
叶	yè	leaf	
夜	yè	night	
页	yè	page	
也	yě	also	
夜里	yèlǐ	at night	
也是	yěshì	also too	
液体	yètǐ	liquid	12
爷爷	yéyé	paternal grandfather	
一	yī	one	
衣（服）	yī (fu)	clothes	
一百多种	yì bǎi duō zhǒng	hundreds of kinds	
一开始	yì kāishǐ	at the beginning	
一下	yí xià	a short, quick action	
一百多年	yìbǎi duō nián	a century or so	
一般	yìbān	commonly	
一边	yìbiān	on the side	
一次	yícì	once	
一点（儿）	yìdiǎn ('er)	a little	
一定	yídìng	for sure	
一共	yígòng	altogether	
以后	yǐhòu	after	
一会儿	yīhuǐ'er	for a little while	
已经	yǐjīng	already	
一块	yíkuài	piece	

一路	yílù	throughout a journey	
一面	yímiàn	one side	
银	yín	silver	
阴	yīn	feminine principle in Taoism	9
赢	yíng	to win	
硬	yìng	hard	10
鹰	yīng	hawk	
应该	yīnggāi	should	
隐士	yǐnshì	hermit	
因为	yīnwèi	because	
音乐	yīnyuè	music	
一起	yìqǐ	together	
以前	yǐqián	before	
一生	yìshēng	lifetime	
医生	yīshēng	doctor	
意思	yìsi	meaning	
一天	yìtiān	one day	
一下	yíxià	a little bit	
一些	yìxiē	some	
一样	yíyàng	same	
一直	yìzhí	always	
椅子	yǐzi	chair	
用	yòng	to use	
油	yóu	oil	
游	yóu	to swim, to tour	
又	yòu	also	
右	yòu	right	
有	yǒu	to have	
忧	yōu	worry	
有没有	yǒu méiyǒu	have or don't have	
又是	yòu shì	again	
有一天	yǒu yìtiān	one day	

游走	yóu zǒu	to walk around	
有点	yǒudiǎn	a little bit	
游过	yóuguò	to swim across/through	
友好	yǒuhǎo	friendly	
有力	yǒulì	powerful	
有名	yǒumíng	famous	
有人	yǒurén	someone	
有事	yǒushì	has something	
游戏	yóuxì	game	
有些	yǒuxiē	some	
有意思	yǒuyìsi	Interesting	
游泳	yóuyǒng	swim	
有用	yǒuyòng	useful	
鱼	yú	fish	
语	yǔ	language	
雨	yǔ	rain	
园	yuán	garden	
远	yuǎn	far	
园工	yuán gōng	garden worker	
原谅	yuánliàng	to forgive	
愿意	yuànyì	willing	
遇(到)	yù (dào)	encounter, meet	
越	yuè	More	
月(亮)	yuè (liang)	moon	
月光	yuèguāng	moonlight	
愉快	yúkuài	happy	
云	yún	cloud	
运气	yùnqì	luck	8
欲望	yùwàng	desire	9
再	zài	again	
在	zài	in, at	
再(一)次	zài (yí) cì	one more time	

再见	zàijiàn	goodbye	
脏	zāng	dirty	
造	zào	to make	
早	zǎo	early	
早饭	zǎofàn	breakfast	
早上	zǎoshàng	morning	
怎么	zěnme	how	
怎么办	zěnme bàn	how to do	
怎么样	zěnme yàng	how about it?	
怎么了	zěnmele	what happened	
怎样	zěnyàng	how	
眨	zhǎ	to blink	
摘	zhāi	to pick	
站	zhàn	to stand	
战斗	zhàndòu	to fight	
长	zhǎng	grow	
张	zhāng	(measure word)	
长大	zhǎng dà	to grow up	
张(开)	zhāng（kāi）	open	
丈夫	zhàngfū	husband	
战士	zhànshì	warrior	11
站住	zhànzhù	stop	
照	zhào	according to	
找	zhǎo	to search for	
找不到	zhǎo bú dào	search but can't find	
找到	zhǎodào	found	
照顾	zhàogù	to take care of	
找过	zhǎoguò	have looked for	
着	zhe	(aspect particle)	
着	zhe	with	
这	zhè	this	
遮	zhē	to hide	12

这次	zhè cì	this time	
这是	zhè shì	this is	
这位	zhè wèi	this one	
这一次	zhè yícì	this time	
这儿	zhè'er	here	
这个	zhège	this one	
这里	zhèlǐ	here	
这么	zhème	such	
阵	zhèn	(measure word)	
枕	zhěn	pillow	
针	zhēn	needle	
真(的)	zhēn (de)	really!	
正(在)	zhèng (zài)	(-ing)	
正好	zhènghǎo	just right	
针灸师	zhēnjiǔ shī	acupuncturist	
真相	zhēnxiàng	the truth	
珍珠	zhēnzhū	pearl	
这些	zhèxiē	these	
这样	zhèyàng	such	
直	zhí	straight	
只	zhǐ	only	
指	zhǐ	to point	
纸	zhǐ	paper	
支	zhī	(measure word)	
枝	zhī	branch	
只能	zhǐ néng	can only	
智(慧)	zhì (huì)	wisdom	
直到	zhídào	until	
知道	zhīdào	to know something	
只是	zhǐshì	just	
只要	zhǐyào	as long as	
只有	zhǐyǒu	only	

侄子	zhízi	nephew	
重	zhòng	heavy	
众	zhòng	(measure word)	
种	zhǒng	(measure word)	
种	zhǒng	species	
中	zhōng	in	
种地	zhòng dì	farming	9
中国	zhōngguó	China	
中间	zhōngjiān	middle	
重要	zhòngyào	important	
终于	zhōngyú	at last	
洲	zhōu	continent	
州长	zhōuzhǎng	governor	
住	zhù	to live	
柱(子)	zhù (zi)	pillar	10
主	zhǔ	lord	
住在	zhù zài	to live at	
抓起来	zhuā qǐlái	catch up	
抓(住)	zhuā (zhù)	to arrest, to grab	
幢	zhuàng	(measure word)	
状元	zhuàngyuán	champion, first place winner	
转身	zhuǎnshēn	turned around	
爪子	zhuǎzi	claws	7
准备	zhǔnbèi	ready, prepare	
桌(子)	zhuō (zi)	table	
主人	zhǔrén	host, master	
注意	zhùyì	pay attention to	
主意	zhǔyì	idea	
字	zì	written character	
紫	zǐ	purple	
字牌	zì pái	a sign with words	
自己	zìjǐ	oneself	

自己的	zìjǐ de	my own	
总是	zǒng shì	always	
走	zǒu	to go, to walk	
走错	zǒu cuò	to walk the wrong way	
走近	zǒu jìn	to approach	
走开	zǒu kāi	go away	
走出	zǒuchū	to go out	
走动	zǒudòng	to walk around	
走路	zǒulù	to walk down a road	
走向	zǒuxiàng	to walk to	
钻石	zuànshí	diamond	
最	zuì	the most, the best	
醉	zuì	drunk	
嘴	zuǐ	mouth	
最后	zuìhòu	at last, final	
最近	zuìjìn	recently	
座	zuò	(measure word)	
坐	zuò	to sit	
做	zuò	to do	
左	zuǒ	left	
做得对	zuò dé duì	did it right	
昨天	zuótiān	yesterday	
左右	zuǒyòu	approximately	
祖师	zǔshī	founder, great teacher	
阻止	zǔzhǐ	to stop	9

ABOUT THE AUTHORS

Jeff Pepper has worked for thirty years in the computer software business, where he has started and led several successful tech companies, authored two software related books, and was awarded three U.S. software patents. In 2017 he started Imagin8 Press (www.imagin8press.com) to serve English-speaking students of Chinese.

Xiao Hui Wang is a native Chinese speaker born in China. She came to the United States for studies in biomedical neuroscience and medical imaging, and has more than 25 years of experience in academic and clinical research. She has been teaching Chinese for more than 10 years, with extensive experience in translation English to Chinese as well as Chinese to English.

Lightning Source UK Ltd.
Milton Keynes UK
UKHW021352071220
374769UK00016B/1445